BEGINNER
SUDOKU
ON-THE-GO!

Conceptis Puzzles

Main Street
A division of Sterling Publishing Co., Inc.
New York

4 6 8 10 9 7 5 3

Published by Sterling Publishing Co., Inc.
387 Park Avenue South, New York, NY 10016

© 2006 by Sterling Publishing Co., Inc.

Distributed in Canada by Sterling Publishing
c/o Canadian Manda Group, 165 Dufferin Street
Toronto, Ontario, Canada M6K 3H6
Distributed in the United Kingdom by GMC Distribution Services
Castle Place, 166 High Street, Lewes, East Sussex, England BN7 1XU
Distributed in Australia by Capricorn Link (Australia) Pty. Ltd.
P.O. Box 704, Windsor, NSW 2756, Australia

Manufactured in the United States of America

Sterling ISBN-13: 978-1-4027-4471-6
ISBN-10: 1-4027-4471-4

For information about custom editions, special sales, premium and
corporate purchases, please contact Sterling Special Sales
Department at 800-805-5489 or specialsales@sterlingpub.com.

CONTENTS

Introduction

Sudoku is a number placing puzzle based on a 9x9 grid containing several given numbers. The object is to place numbers in the empty squares so that each row, each column, and each 3x3 box contains the numbers 1 to 9 only once.

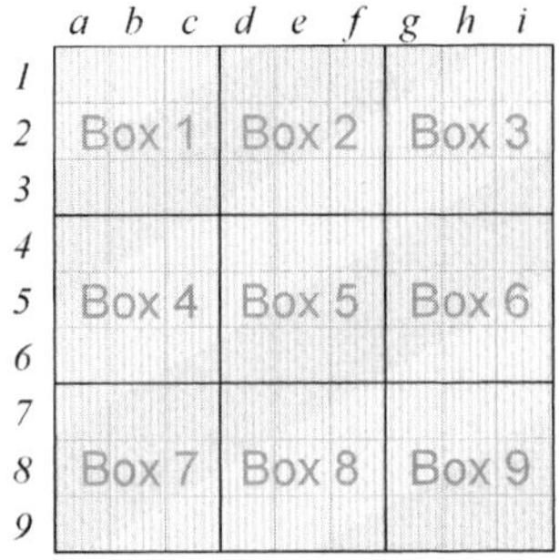

A sudoku grid consists of 81 squares divided into nine columns marked a through i and nine rows marked 1 through 9. The grid is also divided into nine 3x3 sub-grids named Boxes, which are marked Box 1 through Box 9.

The easiest way to start a Sudoku puzzle is to scan rows and columns within each triple-box area, eliminating numbers or squares and finding situations where only a single number can fit into a single square.

Hard puzzles require a deeper logic analysis which is done with the aid of pencil marks. Sudoku pencil marking is a systematic process of writing small numbers inside the squares to denote which ones may fit.

Here are some solving techniques:

1. **Scanning in One or Two Directions**
   Let's see where we can place 1 in Box 3. In this example, Row 1 and Row 2 contain 1s, which leaves two empty squares in the bottom of Box 3. However, Square g4 also contains a 1, so no additional 1 is allowed in Column g.

   This means that Square i3 is the only place left for 1.

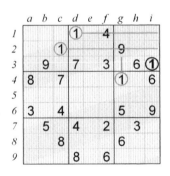

2. **Searching for Single Candidates**
   Often only one number can be in a square because the remaining eight are already used in the relevant row, column, or box.

Taking a careful look at Square b4, we can see that 3, 4, 7, and 8 are already used in the same box, 1 and 6 are used in the same row, and 5 and 9 are used in the same column.

Eliminating all the above numbers leaves 2 as the single candidate for Square b4.

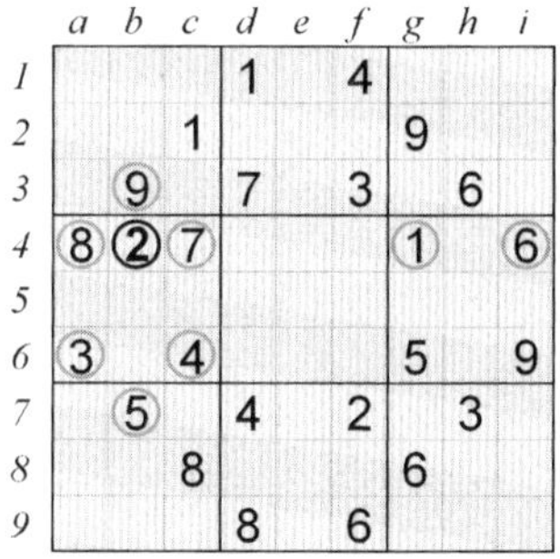

	a	b	c	d	e	f	g	h	i
1				1		4			
2			1				9		
3		9		7		3		6	
4	8	②	7				①		⑥
5									
6	③		④				5		9
7		⑤		4		2		3	
8			8				6		
9				8		6			

3. Eliminating Numbers from Rows, Columns, and Boxes

There are more complex ways to find numbers by using the process of elimination.

In this example, the 1 in Square c8 implies that either Square e7 or Square e9 must contain 1. Whichever the case may be, the 1 of Column e is in Box 8 and it is therefore not possible to have 1 in the center column of Box 2.

So the only square left for 1 in Box 2 is Square d2.

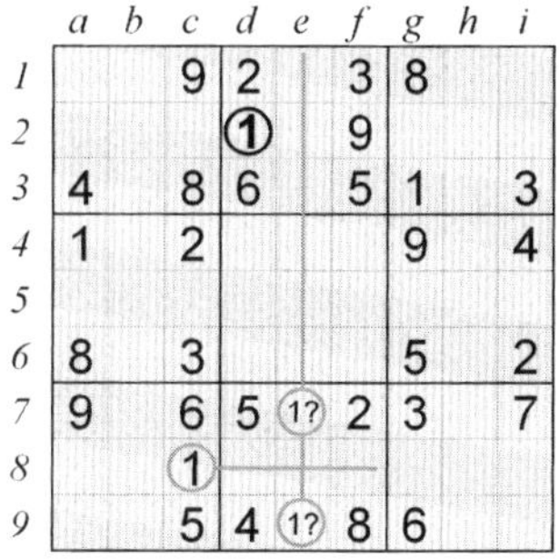

	a	b	c	d	e	f	g	h	i
1			9	2		3	8		
2				①		9			
3	4		8	6		5	1		3
4	1		2				9		4
5									
6	8		3				5		2
7	9		6	5	(1?)	2	3		7
8			①						
9			5	4	(1?)	8	6		

4. Eliminating Squares Using Naked Pairs in a Box

In this example, the pencil marks (in grey) show that 4 and 9 can only be in Square c7 and Square c8. We don't know which is which, but we do know that both squares are occupied.

In addition, Square a6 excludes 6 from being in the left column of Box 7. As a result, the 6 can only be in Square b9.

Such cases where the same pair

	a	b	c	d	e	f	g	h	i
1	4			8		9	1		
2		7						9	
3	9	5			2				7
4	1				9				3
5	3	9	2	4		7	8		
6	⑥				3				9
7	7	2	4 9		8		6		
8		1	4 9				2		
9	⑥	3	1		2				4

can only be placed in two boxes are called Disjoint Subsets, and if the Disjoint Subsets are easy to see, they are called Naked Pairs.

This technique is also useful for rows and columns.

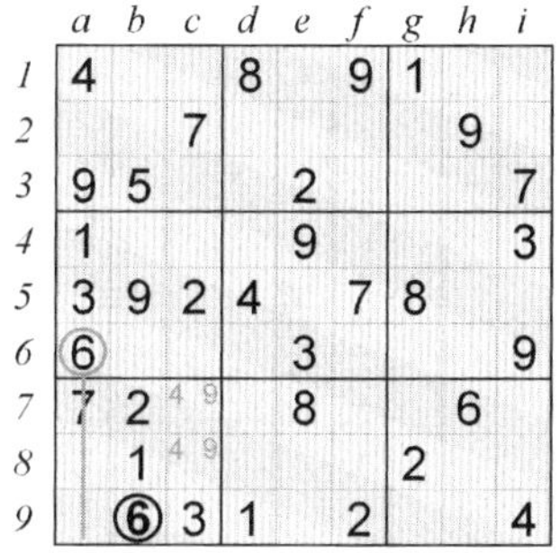

1

			2	3		6	9	
6			5			8		
9	2	3	8			5		
						4	3	6
1								2
7	4	5						
		4			7	2	6	8
		1			2			4
	7	2		6	9			

2

8		1	9		7			
	4				5		6	
7			6			8		
9		4			6		2	3
				2				
5	7		8			6		9
		7			3			8
	1		2				7	
			1		4	9		5

3

9				8		6		7
	2	5					8	
8			5		1		9	
		6		2		7		
1			4	7	9			3
		8		3		4		
	6		3		8			2
	7					1	4	
2		9		1				6

4

4			3		9	8		2
		1	2			4		
9	8			5			3	
3				9			7	4
		4				1		
2	6			4				5
	4			2			6	7
		9			5	3		
6		8	7		1			9

5

	6	5	3			2	8	
7			5		8			6
		9				1		
	2		4		6		3	5
				9				
3	8		7		1		4	
		4				3		
6			1		4			9
	1	3			2	8	7	

6

3								9
			6	2	9			
		6	4	7		1		
	1					4	7	
	8	2	3	6	7	5	9	
	7	9					2	
		4		1	6	3		
			9	4	8			
7								8

	8		5			2	4	
7		9		3				1
	1		2	6				3
9		3						
	6	7		4		1	5	
						6		9
8				1	2		9	
5				7		8		6
	7	1			9		2	

7

	9	5		7			2	
8					9			3
		3	2		1	8		4
	3	7	1		4	9		
9								2
		8	3		2	7	1	
7		2	5		8	4		
3			4					7
	5			3		2	6	

8

9

8	5	1					7	
7					8	9		3
6					4		2	
			5		2	3	9	
				1				
	6	9	3		7			
	2		9					8
4		8	7					9
	3					5	4	1

10

3	6				1	7		4
					4			5
2		4		8		6		
6	9		4		8			
		3				4		
			5		2		9	8
		6		4		1		3
1			3					
4		5	9				2	7

11

9		1			3			6
	4	3		1			5	
			8	4			1	2
1		5						
	3	7				5	9	
						7		4
3	5		6	7				
	9			4		6	2	
6			5			8		7

12

8			4					
4	9				7	3		
			1	8	9		6	
		3				7	2	
2		5		7		4		9
	6	7				8		
	2		5	9	1			
		9	4				7	8
				2			1	

13

			3	1		4	8	
9			4			1		
1	5	4	9			2		
						5	7	4
4								6
8	6	7						
		6			8	7	1	3
		9			2			8
	1	8		7	3			

14

3			8		2	7		1
			1	9				
9		7		4		5		
1							3	4
	3	5		6		8	7	
7	8							6
		3		8		4		5
				2	5			
5		4	3		6			2

15

1		3	8		5		2	4
5			9	7				
			3					1
9							7	8
	6	2				1	3	
7	4							5
2			5					
			9	8				2
3	7		1		4	8		6

16

	1		4		5		7	
9		6				8		3
	5			8			2	
5				7				8
		2	6		8	5		
4				1				7
	3			9			1	
6		4				7		9
	7		8		2		4	

17

	4	3		2			1	
9		5						2
			6		3		8	4
		9		4		1		
6			3		9			5
		2		1		8		
3	7		2		1			
5						6		7
	8			6		3	9	

18

8			2		9			4
	9	4				7	6	
			6	4	1			
7		1				3		6
		8		5		1		
2		3				4		5
			7	1	8			
	1	9				8	7	
6			4		3			1

19

		4	2		7		8	
8		5		6		3		
	3		8				4	1
9						2		8
	2			4			9	
5		7						3
3	6				5		7	
		1		8		9		2
	7		4			6	8	

20

8			6		9			3
			5	4				
		1			8	7		
2		6					5	4
	1		4	8	6		3	
9	4					6		8
		4	7			9		
				5	4			
6			3		1			5

21

			6		5			
	6	8				1	3	
	2		1		7		9	
8		9		2		6		4
			4		8			
1		5		9		2		7
	1		5		9		4	
	5	6				7	2	
			2		4			

22

				4	6		5	9
		5			2	7		8
	8			1			3	
			1				2	4
1		3		2		9		7
8	5				4			
	7			3			9	
4		8	7			6		
3	9		2	6				

23

6	7	8			1			5
		9			5			3
			2	7			9	6
9	2	7						
		4				3		
						9	2	4
7	9		6	1				
1			7			8		
3			9			5	1	7

24

9			4					7
	8					2	5	
	5	4		3	1	8		
		7	8		3			5
		9				7		
5			6		2	1		
		5	9	2		4	8	
	4	3					6	
6					4			1

25

		5		3	7			
	3		2	6	1		8	
		2				3		9
3	4						7	
5	6			8			4	3
	7						1	8
8		7				1		
	9		3	1	2		5	
			4	7		6		

26

	7	9			8		4	
6					7	3		5
	4			6	3			7
8	6	2						
		1		7		4		
						2	8	9
1			2	4			5	
7		6	1					4
	8		7			1	2	

27

				4		5	9	
4			2		1	6		
5	6			8				
	3		6		2		7	
6		7				9		1
	5		1		8		2	
				2			4	3
		5	9		3			7
	8	1		6				

28

4	2		7		8		5	
					5			2
			1	2			4	
		2		8		4	1	
	6			3			7	
	4	3		5		9		
	5			7	4			
6			8					
	1		5		3		2	6

29

				4	6			
	8	1	2	7		5	4	
		5	8			7		
3						9	7	
5	2			9			3	8
	7	4						6
		2			5	3		
	9	7		6	3	2	8	
			7	1				

30

			4			5		
	3		1	2		7	8	
5	8	7	9			2		
						6	9	5
	1						3	
7	9	6						
		3			8	1	7	4
	7	9		4	2		5	
		8			3			

31

		6	1			5		
	7	8		9			1	
3				2	5		8	4
		4		8				3
	1	3				7	4	
6				4		9		
2	6		4	1				7
	3			5		4	2	
		9			6	1		

32

		9	4	7	1	8		
			3		8			
3		6				1		7
8	7			5			1	4
9			6		3			8
6	1			4			2	9
4		8				9		5
			7		4			
		2	5	8	9	4		

33

	8			9			1	
4		1				8		5
	7	3	5		8	9	4	
		6	2		3	1		
7								6
		2	7		1	4		
	2	7	3		9	5	6	
1		9				3		4
	3			2			8	

34

		3			5			
		7		9	6	8		
	4				1		9	3
8					3	4	7	
	9			4			1	
	5	1	7					2
2	3		4				6	
		6	1	8		3		
		4			9			

35

2				3				4
	7	4		8		6	1	
	3				6		5	
		6	3		2			
4	5			6			7	2
			7		4	9		
	8		6				2	
	1	2		9		7	8	
9				2				1

36

9	5		1		3		6	8
7	1						5	9
			9		7			
3		1		6		4		2
			8		2			
5		9		3		1		6
			6		5			
2	7						4	1
8	4		2		1		3	5

37

9				6	4		2	1
3		1	2			7		
	7			3			9	
7							1	
1		6		7		4		3
	5							7
	1			4			3	
		7			1	9		5
2	9		5	8				4

38

				9			4	
1	4		8	2		6	3	
	8	5	3			2		
						8	2	
4	7						5	3
	6	3						
		7			5	4	8	
	9	6		3	4		7	2
	2			8				

39

			3			5		
	2		9	8		4	7	
6	9	5	4			8		
						1	6	7
	5		6		9		8	
4	6	1						
		7			6	9	2	1
	1	9		3	2		4	
		6			8			

40

7			3	5			9	
			9		8	2		7
				6		3	5	
9	1						8	
8		2		4		7		3
	7						1	5
	9	7		8				
4		1	5		3			
	6			9	2			1

41

				7		1	2	
7	4	6	8				5	
9		1			5	4	7	
		2					8	
4			5		2			1
	3					7		
	8	7	4			2		3
	1				8	9	4	5
	9	4		5				

42

	1		7				6	
6		4	2					8
	3			4	1			
4	6			5		2		
		5	1	2	4	3		
		7		6			8	5
			9	7			4	
3					8	7		2
	4				6		1	

43

9			3		8	5		2
	8			9			3	
1		7	4			6		
7						8		5
	5			1			2	
3		9						6
		2		4	9			8
	4			6			7	
6		1	7		2			4

44

	7				9		4	
		9	6			7		
	6			7	2		5	
1		2		4			3	
		6		3		4		
	4			2		5		9
	9		8	6			7	
		5			4	6		
	1		5				2	

45

		3			2		1	
7		5		3	8			
					4		9	5
8	6	4	1		3			
	7						2	
			6		9	4	8	3
6	5		3					
			2	5		9		7
	3		4			1		

46

			7	6		5	9	
9		6	5			3		
7	5			4			8	
							2	5
2		9				8		1
8	6							
	9			1			4	8
		8			4	7		6
	7	4		8	3			

47

		1				7	6	
5				2		1		
7	9			3	6			8
		2	3		8			
	6	3				9	8	
			7		4	2		
2			4	7			5	1
		7		1				2
	5	9				3		

48

					7	5		
	7	8		5			1	
1			3	4			7	
7			6		1	9		
	1	6				8	3	
		2	7		8			4
	6			8	9			3
	3			6		7	9	
		9	5					

49

4	3						2	1
9	8			2			5	4
			6		1			
		3	8		6	2		
	6						1	
		7	3		5	9		
			4		8			
7	5			6			8	3
3	9						6	2

50

		9	6		2	8		
	2	5				4	7	
			7	8	5			
1		8				9		2
		4		1		6		
9		2				7		3
			8	2	3			
	8	6				3	2	
		7	9		6	1		

	4			5			1	
1			2		7	8		6
	8	6	1			3		
	9					6	3	
5								4
	2	1					7	
		5			4	1	2	
4		3	8		2			7
	7			6			9	

51

	3		8	2	5		9	
7			9		6			4
				7				
5	6						8	7
2		4		8		3		5
9	8						1	2
				5				
8			2		1			6
	2		4	9	8		7	

52

53

			1	2		8	7	
8	4			9			1	
7		3	4			6		
						5		2
5	2						9	6
9		7						
		8			4	2		3
	3			5			8	7
	7	9		3	6			

54

	7	8		1			5	
3		1			6			4
				2	7		6	8
	8	4						
5		9				4		2
						7	1	
1	6		4	9				
8			1			6		9
	4			7		8	3	

55

2				3	5		6	9
3		5	2			8		
	9			8			2	
5							9	
8		6				1		2
	4							3
	3			9			8	
		8			7	4		6
6	5		4	1				7

56

9		1	6					3
	8			9			4	
			2		7			6
		5		7		4		2
	9		4	5	2		6	
4		3		8		7		
6			8		1			
	5			2			1	
7					4	9		8

57

2						6		1
	9		1			8	2	
3	1	7			8	4		
		3	4		2		1	
				1				
	7		8		9	5		
		8	5			1	3	6
	5	1			7		4	
9		4						7

58

				9			2	
3		5	4			9		
	8	7	2	1		5	4	
						1	7	
8		1				3		6
	9	4						
	7	2		3	1	6	5	
		8			7	4		9
	3			5				

5		9			6			7
	3	8		9			2	
				4	5		9	3
8		3		7				
	9	4				7	3	
				5		9		1
9	2		5	3				
	1			8		4	7	
4			9			3		2

59

			3	7		8	6	
3	2			9			1	
1		6	4			3		
						7		3
5	7						8	1
2		8						
		2			8	9		5
	6			1			2	8
	9	5		3	4			

60

61

8		3		4	1	9		5
	5				3		4	
4					6			8
5	3	7						
9								7
						8	5	1
7			8					6
	1		4				7	
2		4	7	1		5		3

62

	3			1		8	6	
		9						
1	2		7					9
	9	3	4			5	1	
6				7				4
	4	5			2	3	8	
5					3		9	1
						6		
	7	8		4			3	

	1		2			7		
	7	6		9	8		3	4
5				7			6	
	2			8				1
	3	1				4	2	
4				1			7	
	5			4				7
7	9		1	2		3	4	
		2			6		9	

63

		7	3		9		1	
1		4		8				
		9			1	2	7	5
7		2						4
	1			5			3	
6						9		1
3	8	5	2			6		
				9		1		3
	4		7		6	5		

64

65

1	7				6			
9		5				4	6	
	6		2		4		1	
		1		6		2		8
			1	2	5			
2		6		9		7		
	9		7		3		2	
	4	7				1		9
			6				7	5

66

	2	9		7			3	
5		1			2			9
				1	5		8	6
	3	2						
9		8				5		1
						3	6	
4	7		5	2				
8			4			7		2
	1			8		9	4	

67

8	3	9			4			2
					5			8
		2	7		8	4		9
2	8	6				5		
		5				6	7	1
7		4	1		3	2		
3			2					
6			8			3	4	5

68

4			9		6	2		1
			5			9		
1	8	9	3			6		
2						5	4	8
8	3	1						2
		8			7	1	2	5
		4			9			
3		5	8		2			9

69

5			7					4
	2	7			6		1	
	8		4	3				
9		2	5				6	
		1		4		3		
	3				7	2		9
				5	4		8	
	9		6			1	4	
2					8			6

70

8		7	9		6	3		2
	9			4			5	
	6						7	
9			1		7			4
	5			6			9	
2			5		4			6
	2						3	
	4			7			1	
5		3	4		2	8		9

40

5						1		9
		9	8	3		5		
4	1		9	5			8	
				7		8	3	
	3	5				9	6	
	6	7		9				
	4			2	6		5	8
		8		1	5	2		
3		2						4

71

			2		5	7		1
	9		8		1			
				7		2		4
7	8		5				4	6
		6		3		9		
3	4				7		5	2
4		5		6				
			9		8		6	
9		8	7		4			

72

73

	1			8	6		3	
5	3			2		1	6	4
	9		1					
4						2		
2	8			5			4	6
		3						9
					5		9	
9	4	1		7			8	3
	7		4	3			2	

74

		7				9		
			6	9	7			
9		3		8		2		5
	7			6			5	
	1	6	9		5	4	8	
	2			4			9	
6		8		5		1		4
			4	3	2			
		2				7		

75

		9	1			6	3	
5						8		
3	1		5	8				7
				4		2		9
		6	9		7	5		
9		4		3				
6				2	3		5	4
		5						2
	4	8			9	3		

76

	5	8	7			4		
			5		1	2		9
9	3				6			5
	1	3					4	8
4	7					3	6	
6			3				5	4
3		1	8		7			
		9			4	7	1	

77

		2		5		6		4
	8		9		2			
6			8		7			5
	3	6				5	2	
8				1				9
	7	1				8	3	
2			1		6			7
			7		5		6	
1		7		9		3		

78

5						3		4
		8			9	6		
9	4		6	2			7	
	3		8		1	5		
		9		7		1		
		1	5		2		4	
	1			4	3		6	7
		6	9			4		
4		7						5

79

9					5		6	
			6			1		3
	7							
6	9		1		8	4		7
7		5		2		3		1
3		1	5		9		2	8
							3	
1		4			7			
	2		3					9

80

	7			3			9	
3			9		6	7		2
	4	2	1			8		
	2					3	4	
6								8
	5	1					7	
		5			3	2	6	
4		3	2		7			5
	8			5			1	

81

			7			6		
	3	5			2		7	
7		6	5		9	1	8	
	1	7		2		8		6
4		8		7		2	3	
	7	3	1		6	5		9
	8		9			3	2	
		1			4			

82

	1	7		6			4	
5			4		2	9		7
	4				8			6
	2	9					6	
4								1
	5					7	3	
2			7				1	
3		6	1		9			2
	7			4		3	9	

83

3		2			7			6
	4		5	9		2	7	
	8				1			3
9		7					6	
	6		3		5		4	
	5					3		1
6			9				1	
	2	3		7	6		8	
8			2			6		7

84

	2		1	6		5	3	
4					8			7
5		9	7			8		
	7					9		1
9			3		5			6
1		2					4	
		8			1	6		5
2			4					3
	1	6		8	9		7	

85

			3			1		
	8	7		6			4	
3		5	4	2		9	7	
						6		1
	5	4	2		7	8	9	
9		1						
	6	2		4	9	5		8
	3			5		7	6	
		8			6			

86

	6		1				7	
8	4		9		2		5	6
		7				8		
	2		1		9		4	
6				4				9
	9		7		5		2	
		3				4		
7	8		3		4		1	2
	1			8			6	

87

5		1		7				9
		6		1	3			
		9			8	3	2	1
	9	8						
1	6			2			8	4
						5	3	
9	8	4	7			1		
			2	9		6		
6				5		7		3

88

		9			3	5		
	7		8	2			6	
5			7		6			1
7		5				1	9	
	2						4	
	1	8				7		2
4			2		8			7
	3			6	9		1	
		2	1			3		

89

	8	6		4			3	
1					8			2
		7	3		5	8		9
	1	4				7		
7								3
		9				6	2	
2		8	4		1	3		
5			2					7
	4			3		2	9	

90

7				1				8
		3	4			1		
	9	1	5			7	3	
				9		2	1	
3			8	2	4			7
	7	4		6				
	5	7			8	3	6	
		2			6	5		
8				5				9

91

7		5		4		2		1
			2		9			
2		4				7		6
	2		4		7		1	
1				5				9
	5		9		1		4	
5		8				3		2
			5		3			
4		6		1		9		8

92

|
5	1	6		7	2	9	
7			4		3			5
2								4
3	2		5		8		1	9
9	4		2		1		6	7
6								1
8			3		4			6
	3	5	8		9	7	4	

93

	3	6				4	1	
7	9			3			8	5
5			9		8			3
		8		5		3		
	7		3		4		9	
		3		1		7		
4			7		1			8
3	8			6			2	7
	5	7				9	6	

94

			4	3	1			
4								6
	7	8	5	6		1	9	
1						7		9
9		6		8		3		2
7		5						1
	3	1		2	8	9	4	
2								8
			6	1	5			

95

	6	8						
	1	4		3	9		6	5
				5	4		2	8
	2	3						
	8	9	3		6	2	5	
						9	8	
7	4		1	9				
3	5		4	6		8	1	
						6	4	

96

		4	6			8		
	1		2	3		5	7	
6	5				1			4
		7		5			1	9
	4						3	
8	9			2		7		
4			8				5	2
	6	9		4	2		8	
		1			9	4		

97

		6			4	1	9	2
	8						6	7
4			1			8		3
		4		8				6
			6	5	9			
9				4		3		
7		8			2			9
6	2						1	
1	9	5	3			2		

98

	6		7	5	9		2	
4								5
		3	8		6	9		
7		8				6		2
5				1				9
9		6				3		8
		7	1		3	5		
1								7
	9		4	2	7		8	

99

	7			1			6	
1	4		8		3		5	7
			5		4			
	1	4	2		6	7	8	
9								4
	2	8	4		1	5	9	
			3		5			
8	5		6		7		1	9
	3			2			4	

100

		7			1		9	
9	6	8	2		5		3	
							2	8
8	2			7			1	
	3			6			4	2
1	7							
	4		8		7	6	5	9
	8		5			3		

101

4		3				8		2
			5					
8			3	4				6
			8		2	9	6	
		2	6	7	4	5		
	1	4	9		5			
7				5	1			9
					9			
5		6				4		7

102

				5		6	3	
	6	2		3	1			7
	7					5		9
					2		9	
7	5			1			4	8
	8		3					
4		8					1	
9			1	6		3	5	
	1	5		9				

				6				
		7		1		2		
6	4		8		3		9	1
1	8						3	5
			4		1			
3	2						6	4
5	9		1		7		4	8
		3		4		6		
				5				

103

			7	8		4	6	
9		7	2			5		
6	1			5			7	
							5	7
5		3				9		1
1	4							
	3			4			9	5
		8			6	7		2
	9	1		3	2			

104

105

9	4	1				7	8	6
7								2
3			6		8			4
		9	3		2	4		
		7	9		6	2		
4			8		7			5
8								1
1	2	6				9	7	8

106

6	1		2			5		
4				7			9	
		2	1		8			4
3		6	5			9		
	8			1			3	
		4			2	8		7
5			7		3	1		
	6			2				9
		3			1		7	5

	9		6			1		
3			8			6		
			4	1			5	2
2	7	9			8			
		3		5		8		
			7			3	9	6
4	6			3	1			
		7			6			3
		2			4		6	

107

8			3	5	6	4		
					8		9	
				4		2		3
9							1	4
3		1		9		8		2
4	6							5
2		3		7				
	7		9					
		9	5	2	3			7

108

109

3				7				9
		7				1		
	9		2	1	3		8	
		5		3		6		
7		2	4		1	3		5
		9		6		7		
	2		7	9	4		6	
		8				4		
4				5				2

110

8	7				5			4
	9			1	8		2	6
		3	4			5		
3	2					4		
	1						5	
		7					6	3
		6			9	2		
4	8		6	2			3	
2			5				9	7

111

			9				8	
4		7	8			6		
	1		2		3		4	
		2				4	9	5
			5		1			
6	7	5				2		
	9		1		6		7	
		8			4	3		1
	4				2			

112

	9		6		4			
	2					7	9	4
	1			3	2			
2		1		8				3
		5				9		
8				1		6		5
			3	4			5	
9	8	4					1	
			1		7		4	

113

7			4		2			6
				1				
		9	5		7	3		
9		5	7		6	4		1
	8						5	
1		6	8		9	7		2
		8	9		3	1		
				8				
2			1		5			8

114

2		6					7	5
7	1		8				4	
			5					6
			2	1	8	9	6	
			3	5	6			
	3	1	4	7	9			
8					4			
	6				5		9	2
4	5					8		1

115

	1			9			8	
3			5		8	7		9
	7	9	6			5		
	2					4	1	
7								6
	6	8					2	
		4			6	8	9	
2		6	9		4			5
	8			5			3	

116

		6		3			7	
9	4		7	6		5	1	
	7				2			3
		2					3	
3	8						4	1
	6					7		
4			6				8	
	2	1		9	5		6	4
	5			4		9		

117

	2		9	8	6		1	
6		7				5		3
	4						2	
4			5		1			2
2								7
5			4		8			9
	3						4	
1		9				2		5
	5		7	9	2		6	

118

				7				
	5		4			2	3	
	8	6	9		3	7		
		3		4		1	7	
4			2		8			5
	2	5		9		3		
		8	3		4	5	9	
	3	4			6		2	
				8				

119

	1		9		2		5	
7	6		8		3		4	9
				5				
5	8						6	4
		4				5		
3	9						1	7
				6				
9	4		5		1		3	2
	2		7		4		9	

120

			1	2		3	8	
7		5	8			9		
8	2			3			7	
							9	7
9		2				1		3
4	1							
	7			5			4	6
		3			6	8		9
	6	8		4	2			

121

1		2				3		6
4			2					9
	3			1			8	
			7		8		6	
		4	5	6	3	7		
	5		1		9			
	1			8			7	
5					6			4
8		7				6		3

122

3	6		5		9		7	8
8	4						3	2
			8		3			
9		2				1		4
6		8				9		3
			4		2			
2	9						4	7
5	3		9		8		6	1

	8				2			
1		2		6		7		
	9	3		8	7		4	
						3		4
	2	1		4		9	8	
5		7						
	3		2	5		8	7	
		6		7		5		9
			3				6	

123

							6	8
			6	7		5		9
				3	2		7	
	5			1		4		
	4	3	7	6	5	2	8	
		6		8			9	
	7		8	4				
3		5		2	1			
8	9							

124

125

1		7	2					5
	3	5	7		8		4	
			6				1	7
	9					4	6	2
4	1	2					3	
3	6				5			
	2		8		6	1	9	
9					3	8		6

126

3		9				7		6
			2		6			
6		1				4		2
	9		6		1		5	
			7		4			
	7		5		8		4	
2		7				1		5
			1		7			
5		6				3		8

127

8			3		6			7
					2	3		
6	3							9
4	5	2			8			
9		6		4		7		2
			9			6	4	5
1							3	8
		8	4					
7			1		5			4

128

	4			5		1		6
5	6		9				7	
			7		8			4
	8	6				4		
9				3				8
		5				6	2	
8			6		5			
	1				2		3	9
4		2		1			6	

129

		4		5	7		9	
			2				1	3
1			3			4		
	8	7			6			5
6				9				1
2			5			6	7	
		1			4			9
9	7				5			
	2		9	7		5		

130

3		1	4		9	6		5
	6			2			9	
2					6			8
4		8						2
	5						1	
9						3		7
8			5					3
	2			8			5	
5		4	9		3	2		6

131

		5		7			8	
		8	4		9		2	7
4	6		3					
	5	3					9	
1				3				5
	8					4	7	
					3		1	2
5	3		7		6	8		
	9			2		5		

132

6			3				5	7
				8	6		3	
			5			4	8	
3			1				6	8
			8	9	4			
1	5				7			9
	2	6			3			
	4		2	1				
8	3				9			4

133

	1		3		6	4		
9					2			
			7	9				3
4		3			1		2	5
		6		2		3		
8	5		9			7		1
3				1	8			
			2					8
		8	4		5		9	

134

7		1	5		3	4		9
	8		6				7	
2								8
6				1			4	5
			2	9	5			
3	7			6				2
1								7
	4				2		8	
5		7	1		8	9		4

6		3	5			4		1
	9			6				7
2				3	7			
		6					7	
	3	2		1		9	4	
	8					2		
			4	9				2
1				7			3	
7		4			8	1		5

135

2					9			1
			1	4		7	2	
		5			6	4	8	
	2					8		4
	6			5			3	
4		8					9	
	8	2	4			6		
	5	9		1	7			
6			2					7

136

137

		6		8		3		
	4	1					5	
2	3		5					6
		7	2	1				
6			7	4	3			2
			9	8	4			
1					4		9	7
	2					6	1	
		8		6		5		

138

	5		1		2		7	
9			5					1
	7	1				4	2	
3							9	7
			8	6	4			
1	6							4
	3	6				8	1	
2					5			6
	8		6		9		5	

139

1		8	3			5		2
	2	7				4	8	
	5							
	1	9	2		3			
	6			5			2	
			7		4	6	5	
							3	
	9	5				8	7	
4		3			8	9		1

140

		8				6	7	9
	6			3				1
5		9			6			2
				9		8		
	9		8	1	5		3	
		5		2				
4			1			5		6
6				8			2	
9	7	2				1		

141

8	1	4	2		9	7	3	5
		6		8		2		
7			4		3			6
4								9
3			6		8			1
		5		1		8		
2	3	8	9		5	6	1	7

142

	6						5	
4	9						7	8
		5	9		2	3		
		6	8	7	4	1		
			1		6			
		8	5	2	3	7		
		3	4		7	2		
7	8						6	4
	1						3	

	4						5	
7		6		8		3		1
	8		9		7		4	
		3		7		4		
	7		3		8		1	
		5		4		9		
	6		4		1		8	
4		9		2		7		6
	3						2	

143

	6	5		7		3	1	
2			1		3			9
7								4
	2			8			4	
1			3		2			6
	4			9			3	
4								5
8			6		9			3
	3	1		2		9	8	

144

145

8			4					9
		6		5		2		
	9			3			1	
			2		3			6
	4	8	9		5	7	2	
7			1		4			
	5			2			4	
		7		9		6		
9					7			2

146

			5		3			
	1	8		9		3	4	
	3						6	
1			4		5			7
		6	8		2	9		
3			6		9			1
	9						2	
	6	5		4		1	7	
			3		6			

147

4	2						6	5
5			4		3			9
7		3				1		8
		8		7		6		
6								4
		5		3		2		
1		4				8		6
2			9		5			3
8	3						7	2

148

2		7	5		9		4	1
3			2	7				
								9
7				1			8	5
	5						7	
8	9			5				4
4								
			8	6				7
5	7		9		1	8		2

149

8		7			6			5
					5		3	
6		1	7					
		8		2	3		6	7
			1	6	8			
3	4		9	5		1		
					9	8		2
	2		5					
5			6			9		1

150

3		7			1			
		2		4	8		3	
9	8	2	3			4		
	1					5	3	4
3	5	8					7	
		5			1	2	4	6
8		3	9		2			
		6			5		9	

8			9		7			6
		5		3		8		
	2						4	
2			4		8			9
	4						2	
3			1		5			7
	7						3	
		3		1		7		
6			3		2			8

151

1	3			6		7		
9		5				1		
	7		4			5	3	9
		1			6			
4				8				7
			9			2		
6	1	9			2		5	
		2				4		6
		8		5			1	2

152

153

2			6					8
	7	1	8	2			3	
			9		4		6	
		6				7	8	9
	2						1	
3	5	7				6		
	4		7		1			
	3			4	6	5	9	
1					9			3

154

		3	2				8	
	7	9		8		1		
		2	1	7			6	
	8			2				
	2	4		3		9	5	
				5			1	
	9			6	4	8		
		7		1		3	9	
	1			3	4			

			1		6		8	7
		9	3	8				6
	7					1		
8	2				1			4
	6			7			2	
7			4				5	3
		6					7	
1				3	5	9		
2	3		8		9			

155

7		1	4		6	9		5
	8			9			4	
3					1			2
5		6						3
	4						7	
8						6		9
1			7					4
	3			1			5	
9		7	2		5	3		8

156

157

7	8		9					5
	1	3		8			4	7
		5				8	2	
			8		9			1
	7						5	
3			5		6			
	6	7				9		
5	3			9		7	8	
1					7		6	4

158

2			6		5	8		1
			8			7		
6	8	9	4			5		
1						3	5	8
5	4	8						6
		2			8	6	4	7
		7			2			
4		5	7		1			2

159

3		2			7			1
	6	9		8			3	
				6	2		4	9
4		3						
	7	6				1	5	
						8		4
9	5		6	4				
	3			2		4	7	
8			1			5		6

160

			9	8		6	2	
9			1			5		
6	7	3	4			9		
						3	5	9
5								7
2	9	7						
		9			2	8	3	1
		5			4			2
	2	8		1	6			

85

161

6		4				3		2
			6		4			
7		5		8		1		4
	5			9			4	
		9	7		2	8		
	6			3			7	
5		2		1		4		6
			9		3			
9		8				5		1

162

		1			8			
			5				7	
8		9	6	3	2			
	4	6			5	8		2
		8		4		9		
2		7	9			4	5	
			8	2	4	5		1
	2				9			
			1			3		

163

	6			3			4	
9		5			1			7
		1	4	8		9	6	
	1					2		
5		2				4		1
		3					7	
	7	4		1	5	8		
6			2			7		9
	2			6			3	

164

	1			8		7		
	6		7				1	9
5		4	6			3		
						2	7	
6				9				5
	2	5						
		2			4	9		6
7	8				1		3	
		9		2			5	

165

		4		2		7		
		6	9		3	5		
1	7						6	2
	3		2		9		4	
5								3
	6		7		8		2	
9	4						3	1
		3	8		1	6		
		5		9		4		

166

	3			2			9	
5			1		7			4
		8		3		6		
	1		2		8		5	
9		2				7		6
	5		7		4		8	
		3		1		4		
6			8		9			5
	9			7			2	

167

1		2	6		9			5
			5					
				8				6
5			4		8		6	3
		6		1		7		
8	7		9		5			2
6				4				
				1				
3			2		6	4		9

168

		8			5			
		7	4	3				
			2		9		3	6
3		4				5	8	
	9			2			6	
	6	2				7		1
1	8		7		3			
			8	1	6			
			9			4		

169

		2		7		6		
			3		8			
4		8		1		5		9
	8		9		1		5	
3		9				8		1
	5		7		3		4	
5		7		2		3		4
			4		9			
		4		3		1		

170

		4			7		3	
7				6	3			
		5				7		4
4	9		3		6			
	6			2			4	
			7		1		6	2
9		3				2		
			8	3				6
	2		9			1		

171

			3	5		7	4	
9			6			8		
6	5	3	8			9		
						3	5	4
2								8
4	9	8						
		2			5	1	7	9
		9			6			2
	8	4		2	7			

172

4			1	2		9		6
	6			8			3	
1			4					
			9		5	7		8
8	7						6	9
2		5	7		8			
					2			7
	4			7			8	
7		8		5	9			1

173

	4		9		1		3	
8			6		5			2
		2				9		
1	8			3			9	6
			5		4			
5	2			6			4	8
		3				6		
4			7		3			9
	5		4		6		8	

174

	3		2			5		4
1				7				
			1		6	3		8
7		8				1		
	2			3			9	
		6				4		2
4		5	8		3			
				2				9
9		2			1		4	

175

4	1		3		7		9	6
	5						1	
			9		6			
7		6				2		1
				8				
3		1				5		4
			1		3			
	4						2	
1	3		8		2		4	5

176

			8		9		5	
3						1	7	
	5			2	4			
7	6	9						4
		3		8		1		
1						6	2	3
			6	1			7	
		5	2					1
	9		7		5			

177

		1	6		2			8
9	4	2	8	1		5		
1			7	2		3		
			9	6	8			
		8		5	1			4
		3		9	7	6	2	1
4			1		5	9		

178

	8			2			1	
7			5		6	3		2
	6	2	4			9		
	5					8	3	
8								4
	7	1					9	
		6			5	4	8	
2		8	1		3			6
	4			9			2	

179

4		5		2				8
		6	8			1		
	3						9	7
			4		1		2	
1				7				9
	9		6		5			
5	6						1	
		9			2	8		
2				1		7		5

180

1	2						9	6
3			9		2			8
		5				4		
	3			7			2	
			3		6			
	8			5			4	
		1				2		
4			2		8			5
9	6						8	3

181

	8				5			
	2				1	7	9	6
	7		6					
5	1		2		6			
		9				3		
			7		8		6	5
				1			5	
7	4	6	5				8	
			4				2	

182

	8	2		6				
		7	5					3
			4				2	6
						2	9	
2			9		1			8
	6	5						
5	2				3			
4					5	1		
				1		9	6	

5			9	7		6	2	
								5
				8	3			4
8					2	3		
3		5		6		4		1
		7	4					6
1			2	5				
6								
	8	3		9	1			7

183

	2	1	3	7		6	9	
			1					
6			5					4
						2	8	1
7				8				6
9	8	5						
3					1			5
					2			
	6	4		9	5	1	7	

184

185

		7				5	8	3
			2		9			1
1			7					6
	4	8		7			3	
			1	2	4			
	1			5		4	2	
4					7			8
7			6		3			
3	9	5				6		

186

		7					9	
	1		8	3				
3					5		2	4
9	7	6		5	4			
2				7				5
			6	8		7	4	9
6	5		2					3
				9	1		7	
	9					1		

187

5		3		1				6
			9		7			
				3	5			9
	5	6		7			9	
9		2				8		7
	7			9		1	4	
7			1	5				
			3		4			
1				6		4		3

188

	2	3		1	7	9	8	
			2		8			
		1				4		
5	7						1	
1			3	5	4			7
	6						9	4
		9				8		
			1		3			
	1	7	4	2		6	3	

189

	9	1		4		3	8	
8						2		9
4	7			9				5
			3		9			
6		5				8		3
			6		8			
5				6			7	2
9		7						4
	2	4		3		9	6	

190

1					5	2		3
					9	1		
8	7			4				
2	3			6				
		4	9	8	3	6		
				1			5	7
				9			8	2
		2	4					
3		6	7					5

191

		9		8			4	
	8	4	7		1			9
5	3	7						
	1				9		5	
8				2				6
	7		6				1	
						6	8	4
4			3		6	1	7	
	2			7		5		

192

	9		7	2	4			
		7				6		3
	1				3		7	
1		8						2
4			3		9			8
9						1		5
	5		1				4	
3		4				5		
			5	4	7		8	

193

4			8		6			3
		6		3		4		
	7	2				8	1	
		1	9		5	3		
			1		2			
		8	7		3	6		
	4	7				5	2	
		5		7		9		
9			5		4			7

194

9	5			4			6	3
4			1		8			5
		8				2		
	9			3			5	
8			5		1			6
	1			7			8	
		9				3		
5			3		2			1
1	2			8			7	9

195

3	7			1			9	5
6	9						1	2
			6		9			
		3		4		5		
1			8		6			9
		5		7		8		
			7		1			
5	1						8	7
7	8			6			4	3

196

3	6				8			7
5	4		7		1			
		8	6			2		
	7	6					5	8
				1				
9	2					7	4	
		4			6	5		
			1		9		8	4
2			5				6	1

197

	2	1			5			
			4	7		2		5
	6		1					7
4						6	8	
	5			4			2	
	9	7						3
6					2		3	
1		9		8	4			
			3			1	4	

198

6			8		4			7
			3			5	4	
	3			9			6	
3		8					1	5
9				5				6
7	6					2		4
	9			4			7	
	2	7			1			
1			5		2			3

199

			9		8			
6	1	9				3	4	8
				6				
1			6		4			2
		7	3	9	5	4		
3			8		1			7
				1				
8	6	2				5	7	1
			7		2			

200

3	5	9						4
			3			8		9
	8			7	4			6
		8		5			2	
		3				4		
	1			3		9		
5			8	1			6	
8		7			2			
2						3	9	8

201

		6	8		4			
	8	4					2	7
1			6		3			4
	4			3		9		
7				6				3
		8		9			5	
8			5		6			9
4	6					2	8	
			9		2	3		

202

			9	8		4	6	
9		6						
5				3			8	
			2		4			1
1		2	8		5	7		4
4			3		6			
	4			2				8
						5		2
	7	3			4	8		

203

5				9				7
		3	8		7	2		
	4		3		1		5	
	7	1				5	9	
6								1
	8	9				4	2	
	3		2		4		7	
		7	5		6	9		
8				3				5

204

		3	4	9				
	5	6		7			4	
			5	1			7	9
						4		2
7	1	5				6	9	8
4		8						
5	3			6	7			
	9			4		2	3	
				3	2	1		

205

5			1		2			3
3	4	9		6				8
			9	8				
8					4			6
		2		5		7		
1			3					9
				3	7			
7				9		3	1	4
4			6		1			5

206

6	9		7				4	3
4		2	5					7
		3				2	9	
				5			3	6
7	2			4				
	6	7				3		
8					2	5		4
5	1				6		2	9

207

	1			2			4	
		5	8	6				
					4		6	5
	3		2		7			1
2				5				4
6			9		3		7	
3	5		7					
				8	2	1		
	4			3			9	

208

	8							
	7		4				9	1
3	5		9		1	6		
9		5						2
4			8	5	3			7
8						4		3
		8	1		6		3	4
7	9				8		2	
							1	

209

			3		8			
9			5	7	4			8
		8				2		
5			4		3			2
	3	9				8	4	
1			8		6			9
		3				6		
8			9	3	7			4
			6		1			

210

		4	1				7	
8						9	2	
	9			2	4			3
	6	1	8		3			2
		5				3		
7			9		6	8	4	
2			6	4			9	
		9	3					5
	4				7	1		

211

								4
9				5			7	
7			8	6				
		6	2			5		7
2		8		9		4		6
1		7			8	3		
				7	4			1
	6			1				9
5								

212

6	9			7			5	3
		7	4			1		
			2	5				
						8	1	
4		9	6	1	5	7		2
	6	1						
				2	7			
		8			6	5		
2	3			8			9	7

213

	4	6	1		3	7	5	
1				9				8
2								4
8			7		9			5
	9						1	
4			5		1			6
6								9
7				4				3
	3	9	8		2	4	6	

214

3	2		9		1		7	6
7		4				1		9
	6						5	
9				1				7
			6		2			
8				4				2
	4						1	
5		3				2		4
2	8		5		4		9	3

215

		8		3		2		
			9		2			
4			1		7			8
	9	1		7		4	2	
3			5		1			7
	5	2		6		8	3	
9			2		6			3
			8		5			
		6		1		9		

216

1		6		3				7
	8		1		2		6	
				7				5
	6	3	8		9		4	
8								6
	5		6		1	2	3	
2			7					
	7		9		3		5	
9				5		8		3

217

	5				4		8	
3					9	1		7
	7	1				2		
4	6		8		1			
			3		2		1	4
		6				9	5	
2		7	5					6
	4		1				2	

218

7		5			4	8		9
4		2	5		7	3		6
	5	8		1		6		
				8				
		6		4		1	5	
8		1	9		2	4		5
3		9	8			2		7

219

	6	5		7				
		4			3			9
			1		8		7	5
	4	3	8		1	2		
1								8
		8	4		7	9	1	
9	5		7		4			
2			6			3		
				8		7	9	

220

		1	3	5		4	7	
3			4			1		
5	7				9			2
		5					8	9
6								7
7	4					6		
8			5				3	6
		3			1			4
	5	9		7	3	8		

221

9			8		3	7		5
		3	2			1		
7	2			9			4	
2							3	1
		6				5		
4	8							6
	9			5			1	3
		4			9	6		
3		8	6		4			2

222

	8	7				3		
5				9		4		
2		6		7	3		8	1
						6		
	9	4		2		7	5	
		3						
6	7		9	1		5		3
		9		4				6
		5				8	1	

223

2					4			6
	3			2			9	
		7	3			8		
8			9	4	1	2		
	1						5	
		3	8	6	5			1
		8			3	6		
	6			5			8	
3			7					5

224

				7				
	7		3	1	2		8	
		9				5		
	3		2		8		1	
6	5						7	2
	1		7		6		4	
		4				3		
	8		9	4	7		2	
				6				

225

			9	4		6	8	
6		4	1			7		
1	8			2			4	
							7	8
2		7				9		3
8	9							
	4			6			5	7
		1			7	4		6
	7	6		5	2			

226

	9		4		6		7	
4								9
			1	5	9			
2		1	5		4	9		3
		5				2		
6		9	7		2	5		8
			9	4	8			
3								6
	8		3		1		5	

227

	7		8		2		4	
6			4		3			9
				6				
8	4						1	6
		3		7		4		
5	1						7	3
				1				
2			5		4			7
	8		9		7		2	

228

4	6		9					
				7				
			2		3		8	1
3		5				2		4
	7	2	1	4	5	8	9	
9		8				6		5
7	2		3		9			
				1				
					8		3	6

229

6		9						7
		4	3	5				
			7		8		3	4
		6		3		1	7	
	2						6	
	4	1		9		2		
3	6		2		7			
				8	5	3		
2						7		5

230

		1	6					
	3			5			7	
		6	7	9	1	5		2
		5				2		1
	6	8				7	5	
1		3				9		
6		4	5	8	9	3		
	2			4			9	
					2	6		

231

9		2				3		1
	1		9		6		4	
				3	2			
	7	1					8	
		6	4	7	1	9		
	3					7	1	
			7	2				
	2		5		3		6	
3		8				2		9

232

		4	2		7		6	
3	2						4	
		9				5		2
1				3				7
			9	8	6			
4				5				6
5		7				3		
	1						9	5
	8		3		5	4		

233

			7	5		8	1	
5			8			4		
7	3	8	6			5		
						6	4	7
1								2
6	8	2						
		3			2	9	5	4
		4			6			8
	7	5		3	8			

234

			7	8	3			
	2	8				6	7	
	3	9				4	1	
1				3				5
3			4		8			6
6				7				9
	7	1				9	6	
	6	5				2	3	
			1	9	6			

	2		4					
		9		1				4
					9		7	
		6	3	8	1			9
	5		7	9	2		8	
1			6	4	5	2		
	6		2					
3				6		5		
					7		1	

235

	7	1				4	5	
6			1		4			9
2				5				7
	1		4		9		3	
		2				5		
	9		5		7		8	
9				8				5
4			2		3			8
	8	6				3	7	

236

237

1			9		8			7
		7		3		4		
	5		7		1		8	
8		1				7		5
	2						1	
4		3				6		9
	1		3		4		6	
		5		1		3		
7			5		2			4

238

	4	6				7		
			1	8				6
5			4		2			9
		1		3		6	9	
	6		7		5		4	
	3	2		9		5		
6			5		1			7
9				4	6			
		5				1	6	

239

7		1					6	9
2	9			1			4	
					5			8
		5	3		2			
	4		5		1		7	
			7		4	6		
1			8					
	8			4			3	2
4	6					9		1

240

̲	4		6	8	5			
		3						2
					7		5	
3		6		9				7
8			4		2			6
5				6		2		9
	9		7					
6						4		
			1	3	9		6	

241

3	5						6	4
6			8		1			7
			4		3			
	8	6		1		4	7	
			3		7			
	3	9		4		1	2	
			1		8			
1			9		6			5
2	7						1	6

242

4		1				7		5
		6				4		
9	5		2		4		3	1
		2	4		6	8		
		3	9		5	1		
6	4		1		3		7	8
		7				2		
1		5				9		3

243

	2		1		5			
9						5		
		1	3	7			9	
7		5			4			1
		8		1		4		
1			8			2		6
	7			4	1	3		
		3						5
			6		2		7	

244

	8				3	9		
	1			8			4	6
9		2				7		
2			4		7			
	5			3			9	
			6		5			1
		1				5		7
5	2			4			8	
		6	9				3	

245

		6		9		4		
		1	8		6	2		
8	2						9	5
	3		2		4		5	
7								2
	6		5		9		3	
4	7						1	8
		9	1		7	3		
		3		8		7		

246

2		6			5			1
			9			3		
	3	4	7		2	5		9
3		7				9	4	
	6	1				8		3
4		5	2		3	6	1	
		3			7			
7			6			4		8

247

5	8		4	9				
						1		5
	2			1		4	9	
4			8		5			
	1		9	6	7		2	
			1		4			7
	4	3		7			8	
9		8						
			4	8			7	1

248

2	3					8		4
	7		1				9	3
5			3					
			8			3	7	
			6	5	4			
	8	5		9				
				6				9
4	1			9		5		
3		6					8	2

249

5				6	3		1	4
9			4			3		
	8	3	7			2		
1						9	2	
6								7
	5	2						8
		5			6	4	8	
		1			5			2
3	7		8	2				1

250

			1		5			
	8	7				5	4	
	3		6		4		2	
5		3				8		4
				1				
6		8				1		9
	7		4		1		5	
	6	9				3	1	
			2		6			

251

		8			7	1		
		9	4		1	7		
2				8				9
8	4						3	
		3		5		9		
	2						6	1
6				7				8
		7	1		2	3		
		2	3			6		

252

				7			8	
4	5		8	2		9	6	
	3	6	4			7		
						1	5	
1	4						3	6
	8	5						
		1			3	8	4	
	6	8		4	9		1	2
	7			1				

253

8				6	2		7	
		3			4		1	9
	4		9			3		
		8					4	3
4				9				1
1	6					7		
		6			9		2	
3	1		6			5		
	2		5	7				8

254

1	8			3	4	7		
			5				6	
					7		4	5
		3	8			4		9
		9		7		6		
2		1			9	5		
6	3		7					
	1				3			
		7	4	5			1	8

255

		1	5			7		
3					1			4
9		4		6		1		8
	4			8				6
		7		2		3		
5				3			4	
1		8		4		9		7
7			3					1
		2			7	6		

256

	6		1		7		2	
5		8				1		4
	3	1				9	6	
6				9				8
			7		2			
3				1				6
	2	4				3	8	
8		6				7		1
	5		8		9		4	

257

		6		9			5	4
	9		7	6			1	
		5			8			9
			8		6	4		
			9	5	4			
		8	1		2			
4			6			7		
	1			2	3		9	
3	6			1		8		

258

			3					
4		7			6	2	1	3
2	3		7					
		4	9		5			8
	8			4			9	
1			2		7	4		
					1		7	9
3	2	9	5			6		1
			6					

				8		7	2	
6	9				5	3	4	
2	3				1			
	2	5						
8			7		6			9
						2	3	
			1				9	4
	8	6	9				7	3
	1	4		3				

259

		6	1			2		
	8	2		3		9	5	
			9		7			
		7				6		3
	3			9			7	
6		4				1		
			2		5			
	4	1		7		5	3	
		9			4	8		

260

261

		6	3		4	8		
	4	8				2	5	
7	2						6	4
6				4				2
			1		6			
4				8				9
9	7						1	6
	5	3				9	2	
		2	9		5	7		

262

	5		2		6			1
4		1				7		
	9			5		8	6	
7			9					4
		3		8		2		
1					4			6
	1	4		9			7	
		9				1		8
5			1		8		4	

263

	2	5	6		8			
			1					9
			3	7				2
6						2	4	8
		3				1		
1	9	4						5
8				6	2			
5					9			
			4		1	8	3	

264

				5			4	
6	4	2			9		8	
		5		6		1	3	
	3			8				
8		1	4		6	5		3
				7			2	
	7	8		3		4		
	2		6			8	9	1
	6			9				

265

		2		9			7	
7		1	6			8		
	3			7	8		5	4
		3					8	
1		8				6		7
	6					9		
3	2		8	1			6	
		5			4	2		3
	9			5		7		

266

5		6	3					1
			9	7	6			
								3
	4		6		2		8	7
	5			3			4	
9	6		7		5		1	
2								
			4	2	3			
1					7	9		8

267

	9	7		2			1	
3		1			4			5
				7	1		8	6
	6	9						
8		5				4		7
						8	9	
2	4		5	3				
7			1			2		9
	1			4		5	3	

268

	9			8			4	
2		8	4					5
			1	2			8	
			6		7	1	5	
7		1				6		9
	5	9	8		2			
	3			5	6			
1					8	7		2
	2			7			6	

269

7		5			8		9	
		6						4
8	4		9	1		7		
		8						2
		1		4		9		
5						1		
		2		6	3		8	1
1						3		
	3		8			2		7

270

8	5						4	2
2			5		1			3
			2		8			
		3		2		1		
	7	2	1		5	3	9	
		5		7		6		
			4		2			
1			7		9			6
3	2						1	7

3			5		8	2		4
					2	1		
7	9			6				
1	4			7				5
		7				4		
9				4			8	3
				5			6	7
		4	2					
5		8	9		6			2

271

		8	6	7	3	2	4	
7				5				
6			4		2			
3			2		7			
	5			1			9	
			9		5			3
			8		6			5
				4				2
	3	4	5	2	9	8		

272

273

		5	3		2		4	8
	4			5		7	1	
6						2		
	3		7			9		
	5			1			6	
		1			6		5	
		8						3
	2	7		4			9	
3	1		9		7	5		

274

	7	6				8	2	
	9						3	
8			7		9			4
		3		1		9		
7		8				2		1
		5		8		7		
4			5		6			2
	6						9	
	3	9				1	5	

	8		5		1		4	
9								2
		4	9	8	6	5		
7		5				3		1
		1				2		
2		9				4		8
		3	4	9	2	7		
4								5
	7		1		3		2	

275

	7		9				1	
5				1	3			4
		8		5		6		
	1							5
	2	6		7		3	9	
9							6	
		7		6		1		
4			2	3				8
	5				4		7	

276

277

			5		3		2	
1	9				4			8
7						4		5
3						9		
	7	4	9	8	6	2	1	
		8						4
2		3						7
8			4				6	2
	4		8		1			

278

8	6						9	4
		2		9		1		
1		5				6		8
			8		9			
	3		2		6		7	
			7		4			
2		1				4		5
		9		7		2		
4	8						1	9

279

5	2							3
8		3	5			4		
	1	9	4	2			7	
	9	2						
		6		3		7		
						6	5	
	4			5	9	3	6	
		8			6	1		5
7							8	9

280

				5				
	5		2		7		4	
		2	9		6	1		
	2	8	3		9	4	6	
9								7
	6	7	4		5	8	2	
		4	5		2	3		
	7		8		4		1	
				3				

281

7				2	1		5	
8						6		2
		2			4		9	
4	5							1
	8		1	4	9		3	
1							2	9
	7		8			2		
3		5						8
	4		2	5				7

282

7	9						6	8
				7				
	8	4				9	3	
		9	1		4	2		
3	4						7	5
		6	8		7	3		
	1	3				8	4	
				4				
4	6						5	9

283

			8					4
7		6	1	2	5			
	5			9		2		
		2					5	3
2	8			3			6	7
5	9				8			
		7		4			9	
			3	5	7	6		8
4					1			

284

				1			4	
2		4	9			6		
	5		7				1	
			1		2	8	9	
6								2
	2	3	5		7			
	9				3		7	
		8			6	5		4
	6			7				

285

8		7			2	3	1	
1		2		8		4		
3	9							
		8			3			
	2	4		7		1	6	
			9			7		
							4	7
		3		2		6		9
	7	5	8			2		1

286

			3			4	9	
5					8			
2			6	7	1			
	2	9		5		1		3
		8	9		3	2		
7		3		4		6	8	
			7	8	4			1
			2					4
	1	2			6			

287

		4				9		
			2	3	1			
5		2				6		7
	9		5		8		4	
	4						6	
	7		3		9		5	
9		7				4		1
			7	1	5			
		8				2		

288

3	2				4			9
7	8	6			5			
	5	2				7	9	
6	7	3		8		1	2	5
	1	9				4	6	
			7			2	5	6
9			2				7	1

289

		3	1		4	9		
			2	6	7			
	2	1				5	7	
	7		8		3		5	
	6						9	
	4		6		9		3	
	1	5				2	8	
			3	1	2			
		7	4		5	1		

290

	3						2	
1	7						8	5
			7	8	3			
		5		4		7		
		9	6	3	5	1		
		8		7		6		
			8	6	7			
5	6						3	9
	8						7	

	9		1	2				
		4			9			8
		6		3		9	4	
	5							9
9		1		8		5		7
4							6	
	3	7		5		1		
5			2			6		
				4	7		5	

291

7		8	4					9
			7		2	1		
	5				3			8
	2	7		4			8	1
9	6			3		7	4	
2			8				9	
		9	6		7			
6					1	8		5

292

293

	6	3	5			2		
					4			7
1		4	8		6	5		3
	3	8				9		5
5		7				8	1	
7		1	4		5	3		9
4			2					
		5			1	6	8	

294

5					1		7	6
6		3		4	2			
				5		3		
8	9	7						
	2						9	
						7	1	2
	5		2					
			8	3		1		9
9	8		7					3

295

			1			2		
		5	9			3	8	
	8		5	3			9	1
3	5	6						
		8		5		6		
						8	5	4
4	7			6	5		3	
	1	3			7	5		
		2			4			

296

2		1					7	6
7	5			9			1	
			5					9
			8		9	1		
	1			6			8	
		5	1		4			
3					2			
	6			7			3	8
5	4					6		2

297

					2		8	
	9		1			4		
7		2	9	4	8	5		
1	6			3				8
				8				
4				6			9	2
		1	5	2	7	3		9
		6			4		5	
	5		8					

298

2			4		5	9		7
				6		2		
9	4		7					
5			2		3	8		1
	6						2	
7		1	8		6			3
					2		7	5
		5		4				
4		2	3		1			8

299

2	8				9		7	4
		6		7	2	3		
		1				9		
9	7							
	3		7	4	8		5	
							8	2
		9				6		
		4	9	2		8		
3	6		5				9	1

300

	6	8			2	5	3	
1						9		8
3	2			4				7
8								
		3		9		4		
								6
4				2			8	5
6		5						3
	3	7	5				1	6

301

				5			2	
1			8			9		
	2	6	4			8		
			5		8	7	4	
7			1		6			8
	6	9	3		4			
		7			9	5	1	
		2			3			7
	4			8				

302

9		7		6		4		1
			3			2		
3	4		1					7
			2		4	9	1	
6								4
	1	9	7		6			
5					2		8	3
		6			1			
8		1		3		6		9

		5			9		7	
	3							1
2			7		6			
		7		4		3		8
			8	2	5			
8		2		9		6		
			4		8			7
3							5	
	4		9			8		

303

		4	9		1	5		
	6			5			9	
1			8		2			4
8		3				2		5
	5						3	
9		6				4		7
4			7		6			1
	7			3			4	
		8	2		9	7		

304

305

			9		6			
2	9		3				6	4
	1						3	
8			7		9		4	6
			8	5	1			
9	3		6		2			1
	8					9		
5	2				7		8	3
			1		3			

306

		4	3	8			5	
9	1		2				3	
		2				7		4
							6	9
1				4				5
5	9							
6		8				9		
	2				6		7	3
	7			5	2	8		

	9					7	2	
8	6		1				9	4
7			6		3			
		6		1		2	8	
	8	9		3		6		
			3		9			2
5	2				7		6	1
	7	8					4	

307

	7			8	1		5	
3			5					1
			9		7			
4		3				1	6	
1				3				5
	6	9				3		2
			8		4			
7					3			8
	4		6	2			9	

308

309

				3			6	
4	5			1			3	
		8	4			1		
			1		3	5		
2	8						1	6
		7	5		8			
		6			2	8		
	1			9			4	2
	4			8				

310

		3	5	8		9	4	
5			7			2		
1	7				2			6
		5					3	9
9								1
6	4					8		
3			8				7	2
		6			3			4
	8	1		7	5	6		

7				9				5
3			1		4			2
				7	3			
	7	3					5	
9		5		1		7		8
	6					1	4	
			2	4				
2			9		1			4
5				8				9

311

6		1				8		9
			9		8			
4			3					5
	7	9	2				4	
				6				
	4				5	3	2	
1					9			3
			7		2			
2		3				7		4

312

313

	8	5		7			1	
3	7			4	1		6	8
					6			2
	3	8						
2	1						9	6
						3	2	
4			5					
8	9		3	6			5	4
	2			1		6	8	

314

							8	7
9			6	8				
		7			4	9		5
		9				6		8
4		6	9	3	8	5		1
7		3				2		
2		8	3			4		
			7	1				9
1	9							

315

8		2	4			9		5
	5						7	
9		7	6			8		4
						1		3
			5		7			
2		8						
5		6			1	3		7
	3						4	
7		4			9	6		1

316

	1				4	3		
					3			1
8		9			5	7		
5	9	8	4		7			
			8		6	5	3	7
		4	1			2		9
6			3					
		5	7				4	

317

	7			4		2	1	
8	2	5						7
	4		2			6		3
		3			9			
6				8				9
			5			3		
4		1			3		6	
2						8	3	4
	3	8		6			7	

318

9		8	4		1			2
						9		
	7	2		8		4		1
5								8
		6	2		5	7		
4								3
2		4		9		5	1	
		9						
1			7		3	2		6

1				8	7		2	4
2	3	4		5			7	
				6			1	
3								
8	6	7				2	4	5
								1
	8			3				
	9			4		8	3	7
7	1		5	9				2

319

4			7		8	9		
		9		4				
	6					1		8
7					3			1
	4			9			6	
8			2					4
6		8					7	
				7		8		
		3	6		1			5

320

321

	4	3				2	5	
			1	5	6			
		6				9		
	6		2		3		4	
	1			7			2	
	7		9		8		3	
		9				8		
			4	8	9			
	2	7				5	9	

322

		1			3	7		
4			5	1				3
			4		2			
2		7				8	3	
	6			3			9	
	3	5				4		1
			2		8			
9				6	7			2
		6	3			1		

				2			7	
4	7		9	6		3	1	
	2	6	1			4		
						7	5	
2	3						6	1
	5	8						
		2			6	5	4	
	6	3		8	2		9	7
	1			3				

323

9		6	4		5			2
	5	4					9	
				7			5	3
5			8		3			6
		7				3		
8			7		1			9
6	8			2				
	9					5	6	
3			6		8	1		4

324

325

6		1	9	3		5		7
	8		2				1	
	9			8	6			
5			3					
	6			1			2	
					5			6
			4	7			3	
	4				3		5	
2		3		9	8	4		1

326

	7		3				6	2
2			5			1		4
			6				5	
7	1	9		8				
			9	6	7			
			5		8	9	7	
	2				6			
6		5			2			1
1	9				5		7	

2		4				1		9
6			8	9				5
			1					
			3		9	5	8	
	2			1			4	
	4	9	2		8			
					3			
7				2	5			6
5		6				4		8

327

	6			1			7	
5	4				8			2
		3			2	5		
			6		1	7	8	
1				8				3
	3	6	9		4			
		9	1			8		
2			3				6	1
	1			5			3	

328

329

2		1	5		8	6		3
	9	5					4	
7							5	9
6			7		9			5
3			2		6			4
1	6							2
	2					7	1	
9		7	1		4	5		6

330

9				3	4			
		2		5				
	8	4	2		6			
		6			2	1		5
5	9			8			6	2
2		1	4			9		
			1		7	8	9	
				4		2		
			6	9				1

	3	4						
5		1		9		2		
6	9		4	5			1	
		3						
	1	7		4		5	2	
						4		
	2			3	7		4	5
		5		6		3		9
						8	6	

331

	4		9		7		2	
	3						9	
			3	1	2			
	6	1		2		3	4	
2								6
	7	4		3		5	8	
			7	6	5			
	8						7	
	2		4		3		5	

332

333

	3		4	2	9			
4			3			9		
		7					4	
9	5				1			7
6				5				4
3			8				6	1
	2					8		
		1			7			5
			6	8	2		7	

334

8			2		5			9
		2				3		
	7	9		1		2	6	
6			9		4			2
1			8		3			5
	8	1		2		9	4	
		7				6		
9			7		1			3

		4	5		2	1		
2	5						6	4
			6		3			
9		7				8		3
		5				6		
1		2				4		9
			4		9			
3	4						9	5
		6	2		8	3		

335

		9		1				
	8		4		5		2	
		2				5		3
	2			5			8	
3			6		2			4
	9			3			7	
5		7				2		
	3		8		7		9	
				2		4		

336

337

3			7			8		
			1	4		3	6	
				8			5	9
8							9	
	9			1			2	
	1							4
2	5			3				
	7	6		9	2			
		9			1			7

338

				2	3		7	
7					4	5		
	1	5				8		
2	9			4				
1								5
				6			2	9
		9				6	3	
		1	6					4
	2		3	1				

3			9					8
		7			8	3		
			3	7	1			
	7	5		1		2		3
		6		5		8		
1		9		2		6	4	
			1	3	2			
		2	6			5		
6					4			7

339

		6		9	2	7	5	
4				5		3		
8	7			1				4
7								
6	9	2				5	4	7
								3
9				3			8	2
		1		4				5
	5	4	9	7		1		

340

341

		8		4		3		
	7		2		8		4	
4			5		9			2
	4	2				7	6	
5								8
	8	6				9	5	
8			7		3			9
	5		9		1		3	
		1		6		5		

342

	9	6			7			
			8		5			2
7				2	4		3	
		1	7					6
		8		4		3		
4					3	7		
	4		5	9				7
9			4		8			
			1			4	8	

343

			7			6	5	
				8	4			1
		2			5			3
1			2			4	3	
	3			4			8	
	8	9			7			2
3			4			2		
6			9	7				
	1	7			6			

344

5	4	9				3	7	2
1			7		4			6
		2		8		5		
			4	9	1			
		4		6		8		
2			9		5			1
6	9	7				4	5	3

345

			8		9		4	
6				7	4			
		1				8		
1	4		6		3			8
	8			5			9	
9			2		8		7	6
		4				3		
			5	1				4
	5		4		7			

346

4	3				6			
5			8					1
1		9	2				6	
				9	8			5
		7		3		4		
9			1	4				
	2				9	5		6
7					1			8
			7				3	2

347

4	5			8			6	1
	1			2		9	8	
				4		2		
9		3			4			
				6				
		5				8		7
		9		5				
	6	5		3			2	
8	7			1			3	5

348

		1		4		9		
8				7				
		2	6			3		
2			4		3	6		7
	4			1			5	
3		1	5		6			4
		8			1	5		
				4				8
	3		7		9			

349

		9			2	4		
	6						7	
4			7		6			1
9		3		7		6		
			3	6	1			
		7		8		3		5
1			8		3			2
	3						5	
		2	4			9		

350

2		6	5		8			
4	5							9
		1		7		5	3	
9				2	6			
		5		8		2		
			1	4				6
	4	9		6		7		
3							6	8
			2		9	1		5

351

1			7		2			3
		2				7		
	3			9			6	
7				1				9
		3	5		8	1		
4				6				8
	4			2			1	
		8				2		
5			6		4			7

352

4				8		3		
	1				9	7		8
		7			6			4
4	9		1					
	6			4			2	
					3		1	9
7			2			6		
6		2	7				5	
	3		6				4	

353

		8				1		
7			4	5	8			3
			2		3			
	9	4				7	1	
	7			8			3	
	2	1				8	9	
			6		7			
4			9	2	5			1
		9				6		

354

9		1				2		4
	8						6	
4			1		7			8
			5		9			
6	3		7		8		4	5
			4		6			
5			8		2			7
	4						3	
8		7				5		9

355

		2					4	5
			2	9				
1			5			8		
	9					3	5	7
	7	8	1	2	3	4	9	
4	6	3					8	
		7			2			3
				1	8			
3	2					9		

356

	2						7	
3			5		2			8
		9	3		7	1		
	8	6	7		4	2	3	
	4	3	2		9	7	8	
		1	9		5	4		
7			1		8			6
	3						9	

357

		1	9		4			
	6	9		2			8	
					7		9	5
4		8						3
	7			9			1	
2						5		9
6	8		1					
	5			7		4	3	
			8		3	6		

358

7		4	2		6	5		8
			1	3	4			
9								3
	6		3		5		9	
	8		6		7		2	
8								2
			4	2	3			
1		6	8		9	3		7

359

				9				
		8	3		4	5		
	5			2			1	
	6		4		2		3	
9		5				2		6
	7		5		9		4	
	1			8			2	
		9	7		6	3		
				5				

360

		8		7				
4		7		5				6
		3	1					9
		5			6	8		
3	4			9			5	2
		6	4			3		
1					8	9		
5				4		1		3
				2		7		

361

4			8					7
		6	4		3	5		
			9	1				
	4			9		3	2	8
		2		3		9		
1	9	3		8			6	
				7	9			
		7	1		8	2		
9					6			1

362

4	2				6			3
		8			7			1
			4				5	
8	6		7		4			
		7		2		4		
			8		5		1	7
	5			6				
7			9			3		
1			3				2	5

		6			8		9	
			9			2		5
5					1		7	
	9		3			7		4
				9				
4		1			7		6	
	4		1					9
7		5			9			
	2		4			6		

363

	4			3	9			
		7						3
		1		4		2	6	
4			6	9	3			
9		3				5		6
			7	5	4			2
	2	5		1		8		
8						3		
			3	8			9	

364

365

7	1	9				3	4	2
		5		2		1		
2			4					9
						5		
	6			1			7	
		4						
3					2			6
		1		8		9		
9	5	8				4	2	7

366

		7	9		3	5		
			8		7			
		2		1		7		
7	8						5	9
		3		4		8		
9	5						6	2
		5		9		1		
		1		6				
		6	7		5	9		

367

1								3
		6		2		9		
9			4		8			1
		2		3		1		
	4			8			6	
		9		4		8		
4			6		2			9
		8		5		3		
5								7

368

								9
3	7		9			6		
				8	6		4	
	9		2					
8	5	3		7		2	9	4
					4		5	
	6		8	4				
		1			2		7	3
2								

369

3	9		5				6	
8			6	7	3		1	4
1	4				9		2	
	3			6			8	
	5		8				4	3
6	7		9	4	1			8
	1				5		7	6

370

				2		1	8	
2	6		9	1				
	4					6	2	5
7		1	2					
				9				
					7	5		8
6	1	5					9	
				4	1		3	6
	3	2	8					

371

		2		1	7		6	
	9	1						7
4	3		2			5		
		3						6
7				9				1
8						4		
		4			1		2	5
2						9	7	
	5		7	3		1		

372

	9	3	2	1				
			5					8
			9		4			6
		6				8	2	3
4								1
1	2	7				4		
5			1		6			
2					7			
				9	5	1	7	

373

	1			9			7	
8	2		5		7		6	4
		3				2		
	8						3	
3			1		9			2
	4						5	
		8				5		
5	3		2		4		8	7
	9			3			1	

374

							9	7
		9	8	3				6
	7	2		6				
	8		7					
	2	6		8		4	3	
					1		7	
				1		9	5	
1				7	2	3		
8	5							

375

		5				8		
		7		1		9		
3	1		7		9		4	2
		1		2		7		
	9		5		8		3	
		3		9		4		
5	7		9		6		1	8
		6		7		5		
		9				3		

376

	2		9				5	
1						2		8
			4	2		3	1	
4		3			7			
		2		4		8		
			8			9		4
	4	5		6	9			
6		1						2
	7				3		8	

377

			4	1				
	8				5		1	
		2		7		5		
	4			9				6
3		8	1	5	2	7		4
1				8			2	
		3		6		2		
	9		2				5	
				3	8			

378

4		5	2				1	6
9				7				
			8		1			2
		7	5		3	1		9
	5						4	
8		9	4		6	2		
2			1		4			
				9				4
5	7				8	9		1

379

	8				2		4	
4			1		5			9
	1			9			8	
5	6						1	
		2		7		3		
	9						2	7
	3			6			9	
1			3		8			4
	5		4				7	

380

	3			4			5	
2			5					4
	8		7		9		2	
		6				3	8	
8				2				5
	2	1				4		
	7		2		6		3	
9					3			1
	6			1			7	

381

2			5				3	
	1		7	3				4
					2			
7	5		2			4		
	3			7			6	
		6			8		9	5
			8					
4				6	3		7	
	9				1			2

382

	8		7	1		5	3	
6		2			5			9
5				3			6	
	7							4
4		3				6		7
2							9	
	2			8				1
7			1			3		6
	4	1		6	9		2	

		9	4		2	5		
			1		8			
1			7		9			2
5	4	7				8	9	3
6	9	1				2	7	4
2			6		1			5
			8		5			
		8	3		7	9		

383

		1	8			4		
		3	6			9		
2	4			7	1		6	5
		4					3	7
		2				5		
9	5					6		
8	1		3	2			4	6
		9			4	1		
		6			7	2		

384

385

	4		5		1			
		9					4	6
	2			8		1		9
			6		7		3	
				4				
	7		9		2			
2		1		5			6	
6	8					7		
			3		8		5	

386

6		7				4		8
				1				
5				9	4			6
		5						
	2	3	7		5	1	6	
					2			
8			5	6				9
				3				
2		4				5		1

387

			4		5			3
		1		7			6	
	7		6			5		
1		4						5
	6			5			9	
8						3		6
		7			8		4	
	3			6		9		
2			1		4			

388

		2		5	6	7		
					7			
1		4		8		5		3
9	5							
8		6		4		2		7
							8	1
6		5		9		1		2
			7					
		8	5	3		6		

389

3			6		4	1		9
			2			4		
4	9	7	3			5		
1						2	9	3
6	8	3						4
		2			1	6	4	7
		5			2			
9		1	7		6			5

390

	9			2			7	
7			6		3	1		8
	6							
	8		2		9		4	
5				1				2
	3		8		4		5	
							2	
8		3	4		5			9
	7			9			6	

391

	2			1	4			
					3	2		9
	6		5					
7	8		1		6	9		
3				4				5
		5	7		2		8	1
					8		4	
6		1	3					
			4	9			5	

392

4	7						8	1
9		1	3		6	7		5
	5						6	
	6			3			4	
			2		7			
	3			5			9	
	2						3	
7		3	8		9	6		2
5	1						7	9

393

	5		9		7	6		
1						8		
			5				1	3
6		8			2			4
				7				
4			6			1		5
3	8				4			
		1						9
		7	1		9		8	

394

4	6				1			
				8	3			7
			7				9	2
8		2						3
	3			5			7	
7						1		9
2	5				7			
6			2	3				
			5				3	8

395

		2				6		
	8		9		3		1	
	3		4		6		7	
	5	8		1		4	6	
		7				3		
	9	6		3		1	8	
	6		1		5		3	
	1		7		2		4	
		4				8		

396

4		8			1		7	
1				6	7			9
9	2			5				
	4							8
	1			9			5	
3							4	
				7			8	6
5			6	4				2
	7		2			1		5

397

		1				6		
			3		7			
9		8				1		4
	9	2		4		5	8	
			6		1			
	5	4		8		3	1	
2		9				8		1
			5		9			
		3				9		

398

		2				8		
			8	1	2			
7			6		9			3
	3	5		6		4	8	
	4		3		7		5	
	6	7		4		3	1	
6			9		5			2
			7	8	6			
		9				6		

399

		2		3		6		
5			1	6	7			8
		6				7		
	9						6	
3	6			1			5	4
	4						8	
		7				9		
9			6	7	5			1
		3		8		5		

400

					5			
		7				1		
	3	6	2	4		7	9	
8				1		2		
		1	4		2	6		
		5		3				8
	7	2		5	1	9	8	
		4				3		
			6					

401

		2		3		5		
8			5		2			3
		4				7		
	1		2		3		7	
7				1				8
	4		8		9		5	
		7				9		
5			9		7			1
		1		6		3		

402

		5	1	6				4
	8					1		
1			2		3		8	
2		4				8		
6				2				7
		1				4		9
	1		3		7			8
		9					1	
4				1	6	2		

403

6					4		5	
5						7	2	9
2			7		8			
1		3						
	5			8			9	
						1		3
			2		9			8
9	7	1						2
	4		1					6

404

		9				1		
		5	3		7	6		
7		2				8		4
3	2		9		4		1	5
1	5		8		2		9	6
4		1				5		2
		3	6		5	9		
		7				4		

405

			4	3				
5		8				4	7	
	4	7		8				
			8					7
		1	6	7	4	3		
8					2			
				1		9	6	
	3	5				2		8
				2	6			

406

1			5		9		7	4
2	4					6	8	
	9		2					
9				4		1		2
4		2		9				5
					5		2	
	2	6					4	3
5	8		6		3			7

407

	1	9		6		5		
			8					3
8			7					2
			3			2	4	
7			5	4	1			9
	8	3		9				
1					4			6
5					2			
		2		7		9	8	

408

		3	7		1		6	
			2				5	9
7								
6	4			9				8
			3	2	6			
2				8			1	6
								4
8	2				5			
	5		8			9	3	

409

5		1				8		2
	2			1			5	
4			3					7
			9		8	3		
	6			5			1	
		9	6		1			
6					2			5
	9			7			8	
7		2				9		4

410

		3	8		7	2		
5			9		4			8
9		2		7		6		1
			6		9			
4		5		2		8		7
6			4		1			9
		1	3		5	4		

411

2		1		7				3
			9			7		4
9				3	8	1	2	
					4		1	9
				6				
8	2		5					
	7	6	1	9				5
1		4			7			
5				4		9		1

412

		9	7		3	8		
			5		1			
1								3
9	3			8			4	7
			9		5			
7	6			3			8	1
6								4
			8		4			
		1	2		9	6		

413

			3			1		
			8	9	7	6		
							2	5
9	1		2				6	
	7			8			4	
	5				9		8	2
2	3							
		9	6	7	4			
		4			2			

414

6		1	2					5
				9	8		2	
	9							
4	5	7		3			8	
				5				
	6			1		5	7	3
							6	
	8		7	4				
2					3	1		4

415

6								5
	7		3	5	4		2	
8			7		6			9
		2	8		3	4		
		9	4		2	1		
2			1		5			6
	3		2	7	8		9	
4								1

416

		2		3			9	
5			7	9				
		4				8		1
			4		2		6	
6	3						2	7
	2		3		6			
2		1				3		
				2	9			8
	5			8		7		

417

	2						5	
8		9			5	2		3
5	3				2		8	4
	1	2						
				1				
						5	6	
3	4		9				2	6
6		1	4			7		5
	5						9	

418

	5			2			9	
6	2				7	8	1	5
	3				4			
	6	3						
2								9
						7	6	
			2				8	
9	8	1	6				7	3
	7			9			5	

4	9				3			7
					6			8
		7	5			3		
3	1		4		7	5		
		9	3		8		7	2
		8			2	7		
6			9					
7			1				4	6

419

2	7	4					8	3
3				1		5		2
	5				7			6
		8						
	3			9			6	
						2		
4			8				2	
1		3		6				5
6	8					9	3	1

420

421

8								7
			6	3		5		
	4		8		9			
		4		6		2	9	
	2		1	9	8		5	
	1	5		4		3		
			5		6		4	
		2		8	7			
6								2

422

	4			2	3		
6			7					8
5					6			2
9		1	2	5	7		6	
				3				
	3		1	6	4	2		7
3			6					9
1					8			5
		2	5			7		

423

		2				3		
	9			8			1	
1				5	4			8
		3	7		2			
	8	7	5	3	9	2	6	
			4		8	5		
3			1	4				7
	1			7			4	
		9				1		

424

	6			7			4	
5					4			
		7				6	2	5
8		6				4		
4	7	1		5		2	3	9
		5				8		6
6	1	4				5		
			1					3
	9			2			7	

425

			1		7			
9		1		2		8		6
			8		4			
3		7				2		4
	1			3			7	
5		4				9		8
			9		2			
2		3		5		1		7
			7		3			

426

		4		2		5		
			5		1			
8		5				3		7
	9		8		2		6	
5								1
	7		1		3		4	
4		7				2		8
			9		5			
		1		7		6		

427

	1	2	5	7				
6					8			
9		8				2		
7				3			1	
3			1	6	2			5
	8			5				4
		7				4		9
			3					6
				2	7	8	3	

428

8			3		6			
		3		5		9		
	6		2				4	
2		4						8
	7			4			6	
1						2		4
	2				5		8	
		7		1		3		
			4		8			9

429

	6		8	1		9		
9			4				3	
	5	4			9		1	2
	1		7					
3				8				7
					6		5	
4	7		3			5	9	
	3				7			6
		9		5	1		7	

430

		1	4	3		9	5	
7		5						
3				5	8		2	6
		8						1
4		9				5		7
1						4		
5	1		3	9				4
						6		2
	7	2		4	1	3		

	3		2					
				1	6	2		5
	4	5			8	6		
	1	7						3
	2			4			6	
5							9	1
		3	4			8	9	
1		2	6	9				
					3		5	

431

1	6		7		9		5	8
	2		3		8		7	
		9		4		6		
8				1				6
2				8				4
		8		3		2		
	1		6		5		3	
6	3		8		2		4	1

432

433

5	3		6		1		7	2
1		2				3		8
	4						6	
7			9		4			3
4			8		6			7
	1						4	
9		5				2		1
3	7		2		5		8	6

434

			9	8	2			
6		4	1		5	2		9
	7	8				9	5	
	1			2			4	
	5	3				7	2	
1		9	7		3	4		8
			8	6	1			

435

3				2				
	9				5		4	
1	8			3		6		
	1				4		3	2
	7	6		9		5	8	
4	3		2				9	
		8		5			6	3
	2		3				7	
				7				1

436

	8		3			7		
	1			2	6		4	8
6		2	4			9		
	4					6		3
	2						1	
9		3					7	
		8			5	3		2
1	6		8	3			9	
		5			4		8	

437

6			7		9			4
		1				9		
3			8		5			1
5		4	3		1	8		2
1		6	2		7	4		5
4			5		2			8
		8				7		
2			9		6			3

438

	2		9			7		
3	6		4	1				
			6		8			4
6	5	3				8		
	9			4			2	
		2				3	7	9
2			3		4			
				5	1		9	8
		7			2		6	

		4		2			9	
7			9	8				
		6				5		2
				6			4	
3	4		5	7	8		6	1
	9			3				
1		3				4		
				1	3			6
	8			9		7		

439

	5		9	6			8	
4		1		5				3
		8				6	4	
								7
8	2			7			5	1
6								
	4	9				8		
1				3		5		9
	7			9	1		2	

440

441

	2		7		3			
		9	2					5
				4			9	
1			4		6		7	3
		5				6		
6	8		3		9			4
	1			6				
4					7	9		
			5		1		6	

442

	3						2	
8			2		9			6
			4		6			
	7	5		6		9	3	
			3		2			
	2	6		9		4	7	
			5		3			
2			6		1			9
	4						8	

443

		4		6		9		
	8		1		3		5	
6		1				3		8
	9			8			2	
8			7		2			3
	6			1			9	
2		6				7		1
	1		6		4		3	
		9		3		6		

444

			8			3		
			5			2		
4	9	5	6			7		
			7		9	6	1	8
1	8	7	4		2			
		1			6	8	5	7
		8			1			
		3			5			

445

		5	1			3		
	8			4			5	
1		6	7		3	8		9
		2				1		4
	6						3	
7		8				6		
2		4	3		9	5		8
	9			2			1	
		3			7	2		

446

4		9	5		1	8		3
7					3			6
					9			
9	4	5						1
			9	5	2			
8						3	9	5
			2					
5			3					4
2		6	8		4	1		7

447

	8			2		4	5	
1					9			3
7			4	3				
	7			5		1		
3		4				7		8
		1		8			4	
			7	1				5
2			8					4
	1	8		4			6	

448

1	2				6			7
			8		1	2		4
	7							
7	4		2		3		5	
				6				
	3		7		8		9	1
							1	
2		8	9		5			
5			3				4	9

449

4	7				9			3
	5	9		2	6		4	8
				3			7	
6	4							
	2	8				7	6	
							3	9
	3			5				
1	6		8	9		2	5	
7			6				8	1

450

7	8	6
		3				2		
1			2		5			7
4		9				3		5
7				1				4
3		2				8		1
9			5		4			6
		6				4		
			6	9	1			

230

451

	2		1		6		5	
1		7				2		3
	4	5				6	8	
2			6		3			7
5			2		7			4
	1	2				9	7	
7		8				4		6
	5		4		9		1	

1

4	5	8	2	3	1	6	9	7
6	1	7	5	9	4	8	2	3
9	2	3	8	7	6	5	4	1
2	8	9	7	1	5	4	3	6
1	3	6	9	4	8	7	5	2
7	4	5	6	2	3	1	8	9
3	9	4	1	5	7	2	6	8
5	6	1	3	8	2	9	7	4
8	7	2	4	6	9	3	1	5

2

8	6	1	9	4	7	3	5	2
2	4	9	3	8	5	7	6	1
7	5	3	6	1	2	8	9	4
9	8	4	7	5	6	1	2	3
1	3	6	4	2	9	5	8	7
5	7	2	8	3	1	6	4	9
4	9	7	5	6	3	2	1	8
3	1	5	2	9	8	4	7	6
6	2	8	1	7	4	9	3	5

3

9	1	4	2	8	3	6	5	7
6	2	5	9	4	7	3	8	1
8	3	7	5	6	1	2	9	4
3	4	6	8	2	5	7	1	9
1	5	2	4	7	9	8	6	3
7	9	8	1	3	6	4	2	5
4	6	1	3	5	8	9	7	2
5	7	3	6	9	2	1	4	8
2	8	9	7	1	4	5	3	6

4

4	7	6	3	1	9	8	5	2
5	3	1	2	8	7	4	9	6
9	8	2	6	5	4	7	3	1
3	1	5	8	9	2	6	7	4
8	9	4	5	7	6	1	2	3
2	6	7	1	4	3	9	8	5
1	4	3	9	2	8	5	6	7
7	2	9	4	6	5	3	1	8
6	5	8	7	3	1	2	4	9

5

1	6	5	3	4	9	2	8	7
7	3	2	5	1	8	4	9	6
8	4	9	6	2	7	1	5	3
9	2	1	4	8	6	7	3	5
4	5	7	2	9	3	6	1	8
3	8	6	7	5	1	9	4	2
2	9	4	8	7	5	3	6	1
6	7	8	1	3	4	5	2	9
5	1	3	9	6	2	8	7	4

6

3	4	7	5	8	1	2	6	9
1	5	8	6	2	9	7	3	4
9	2	6	4	7	3	1	8	5
5	1	3	8	9	2	4	7	6
4	8	2	3	6	7	5	9	1
6	7	9	1	5	4	8	2	3
8	9	4	7	1	6	3	5	2
2	3	5	9	4	8	6	1	7
7	6	1	2	3	5	9	4	8

7

3	8	6	5	9	1	2	4	7
7	2	9	4	3	8	5	6	1
4	1	5	2	6	7	9	8	3
9	5	3	1	8	6	4	7	2
2	6	7	9	4	3	1	5	8
1	4	8	7	2	5	6	3	9
8	3	4	6	1	2	7	9	5
5	9	2	3	7	4	8	1	6
6	7	1	8	5	9	3	2	4

8

4	9	5	8	7	3	6	2	1
8	2	1	6	4	9	5	7	3
6	7	3	2	5	1	8	9	4
2	3	7	1	6	4	9	8	5
9	1	6	7	8	5	3	4	2
5	4	8	3	9	2	7	1	6
7	6	2	5	1	8	4	3	9
3	8	9	4	2	6	1	5	7
1	5	4	9	3	7	2	6	8

9

8	5	1	2	9	3	4	7	6
7	4	2	6	5	8	9	1	3
6	9	3	1	7	4	8	2	5
1	8	4	5	6	2	3	9	7
3	7	5	4	1	9	6	8	2
2	6	9	3	8	7	1	5	4
5	2	6	9	4	1	7	3	8
4	1	8	7	3	5	2	6	9
9	3	7	8	2	6	5	4	1

10

3	6	9	2	5	1	7	8	4
8	1	7	6	9	4	2	3	5
2	5	4	7	8	3	6	1	9
6	9	2	4	3	8	5	7	1
5	8	3	1	7	9	4	6	2
7	4	1	5	6	2	3	9	8
9	2	6	8	4	7	1	5	3
1	7	8	3	2	5	9	4	6
4	3	5	9	1	6	8	2	7

11

9	8	1	2	5	3	4	7	6
2	4	3	7	1	6	9	5	8
5	7	6	9	8	4	3	1	2
1	6	5	4	9	7	2	8	3
4	3	7	8	6	2	5	9	1
8	2	9	1	3	5	7	6	4
3	5	2	6	7	8	1	4	9
7	9	8	3	4	1	6	2	5
6	1	4	5	2	9	8	3	7

12

5	8	6	3	4	2	1	9	7
4	9	1	6	5	7	3	8	2
3	7	2	1	8	9	5	6	4
8	4	3	9	1	5	7	2	6
2	1	5	8	7	6	4	3	9
9	6	7	2	3	4	8	5	1
7	2	8	5	9	1	6	4	3
1	5	9	4	6	3	2	7	8
6	3	4	7	2	8	9	1	5

13

6	7	2	3	1	5	4	8	9
9	8	3	4	2	7	1	6	5
1	5	4	9	8	6	2	3	7
3	2	1	8	6	9	5	7	4
4	9	5	7	3	1	8	2	6
8	6	7	2	5	4	3	9	1
2	4	6	5	9	8	7	1	3
7	3	9	1	4	2	6	5	8
5	1	8	6	7	3	9	4	2

14

3	4	6	8	5	2	7	9	1
2	5	8	1	9	7	6	4	3
9	1	7	6	4	3	5	2	8
1	6	9	5	7	8	2	3	4
4	3	5	2	6	1	8	7	9
7	8	2	9	3	4	1	5	6
6	2	3	7	8	9	4	1	5
8	9	1	4	2	5	3	6	7
5	7	4	3	1	6	9	8	2

15

1	9	3	8	6	5	7	2	4
5	2	4	9	7	1	6	8	3
6	8	7	4	3	2	5	9	1
9	3	5	2	1	6	4	7	8
8	6	2	5	4	7	1	3	9
7	4	1	3	8	9	2	6	5
2	1	8	6	5	3	9	4	7
4	5	6	7	9	8	3	1	2
3	7	9	1	2	4	8	5	6

16

2	1	8	4	3	5	9	7	6
9	4	6	1	2	7	8	5	3
3	5	7	9	8	6	1	2	4
5	6	1	2	7	3	4	9	8
7	9	2	6	4	8	5	3	1
4	8	3	5	1	9	2	6	7
8	3	5	7	9	4	6	1	2
6	2	4	3	5	1	7	8	9
1	7	9	8	6	2	3	4	5

17

8	4	3	9	2	7	5	1	6
9	6	5	1	8	4	7	3	2
1	2	7	6	5	3	9	8	4
7	5	9	8	4	2	1	6	3
6	1	8	3	7	9	2	4	5
4	3	2	5	1	6	8	7	9
3	7	6	2	9	1	4	5	8
5	9	1	4	3	8	6	2	7
2	8	4	7	6	5	3	9	1

18

8	3	6	2	7	9	5	1	4
1	9	4	8	3	5	7	6	2
5	7	2	6	4	1	9	3	8
7	5	1	9	2	4	3	8	6
9	4	8	3	5	6	1	2	7
2	6	3	1	8	7	4	9	5
3	2	5	7	1	8	6	4	9
4	1	9	5	6	2	8	7	3
6	8	7	4	9	3	2	5	1

19

6	1	4	2	3	7	5	8	9
8	9	5	1	6	4	3	2	7
7	3	2	8	5	9	6	4	1
9	4	6	3	7	1	2	5	8
1	2	3	5	4	8	7	9	6
5	8	7	6	9	2	4	1	3
3	6	8	9	2	5	1	7	4
4	5	1	7	8	3	9	6	2
2	7	9	4	1	6	8	3	5

20

8	2	7	6	1	9	5	4	3
3	6	9	5	4	7	8	1	2
4	5	1	2	3	8	7	9	6
2	8	6	9	7	3	1	5	4
7	1	5	4	8	6	2	3	9
9	4	3	1	2	5	6	7	8
5	3	4	7	6	2	9	8	1
1	9	2	8	5	4	3	6	7
6	7	8	3	9	1	4	2	5

21

3	9	1	6	8	5	4	7	2
7	6	8	9	4	2	1	3	5
5	2	4	1	3	7	8	9	6
8	3	9	7	2	1	6	5	4
6	7	2	4	5	8	9	1	3
1	4	5	3	9	6	2	8	7
2	1	7	5	6	9	3	4	8
4	5	6	8	1	3	7	2	9
9	8	3	2	7	4	5	6	1

22

2	3	7	8	4	6	1	5	9
6	1	5	3	9	2	7	4	8
9	8	4	5	1	7	2	3	6
7	6	9	1	8	3	5	2	4
1	4	3	6	2	5	9	8	7
8	5	2	9	7	4	3	6	1
5	7	6	4	3	1	8	9	2
4	2	8	7	5	9	6	1	3
3	9	1	2	6	8	4	7	5

23

6	7	8	3	9	1	2	4	5
2	1	9	4	6	5	7	8	3
4	5	3	8	2	7	1	9	6
9	2	7	1	3	4	6	5	8
5	6	4	2	8	9	3	7	1
8	3	1	5	7	6	9	2	4
7	9	5	6	1	8	4	3	2
1	4	2	7	5	3	8	6	9
3	8	6	9	4	2	5	1	7

24

9	2	6	4	5	8	3	1	7
3	8	1	7	6	9	2	5	4
7	5	4	2	3	1	8	9	6
4	1	7	8	9	3	6	2	5
2	6	9	1	4	5	7	3	8
5	3	8	6	7	2	1	4	9
1	7	5	9	2	6	4	8	3
8	4	3	5	1	7	9	6	2
6	9	2	3	8	4	5	7	1

25

6	8	5	9	3	7	4	2	1
9	3	4	2	6	1	7	8	5
7	1	2	8	5	4	3	6	9
3	4	8	1	2	5	9	7	6
5	6	1	7	8	9	2	4	3
2	7	9	6	4	3	5	1	8
8	2	7	5	9	6	1	3	4
4	9	6	3	1	2	8	5	7
1	5	3	4	7	8	6	9	2

26

3	7	9	5	1	8	6	4	2
6	1	8	4	2	7	3	9	5
2	4	5	9	6	3	8	1	7
8	6	2	3	9	4	5	7	1
9	5	1	8	7	2	4	6	3
4	3	7	6	5	1	2	8	9
1	9	3	2	4	6	7	5	8
7	2	6	1	8	5	9	3	4
5	8	4	7	3	9	1	2	6

27

8	1	3	7	4	6	5	9	2
4	7	9	2	5	1	6	3	8
5	6	2	3	8	9	7	1	4
1	3	8	6	9	2	4	7	5
6	2	7	5	3	4	9	8	1
9	5	4	1	7	8	3	2	6
7	9	6	8	2	5	1	4	3
2	4	5	9	1	3	8	6	7
3	8	1	4	6	7	2	5	9

28

4	2	1	7	6	8	3	5	9
7	9	6	3	4	5	1	8	2
3	8	5	1	2	9	6	4	7
5	7	2	9	8	6	4	1	3
9	6	8	4	3	1	2	7	5
1	4	3	2	5	7	9	6	8
2	5	9	6	7	4	8	3	1
6	3	7	8	1	2	5	9	4
8	1	4	5	9	3	7	2	6

29

7	3	9	5	4	6	8	2	1
6	8	1	2	7	9	5	4	3
2	4	5	8	3	1	7	6	9
3	1	8	6	5	4	9	7	2
5	2	6	1	9	7	4	3	8
9	7	4	3	2	8	1	5	6
4	6	2	9	8	5	3	1	7
1	9	7	4	6	3	2	8	5
8	5	3	7	1	2	6	9	4

30

9	2	1	4	8	7	5	6	3
6	3	4	1	2	5	7	8	9
5	8	7	9	3	6	2	4	1
3	4	2	8	7	1	6	9	5
8	1	5	2	6	9	4	3	7
7	9	6	3	5	4	8	1	2
2	6	3	5	9	8	1	7	4
1	7	9	6	4	2	3	5	8
4	5	8	7	1	3	9	2	6

31

4	2	6	1	3	8	5	7	9
5	7	8	6	9	4	3	1	2
3	9	1	7	2	5	6	8	4
7	5	4	9	8	1	2	6	3
9	1	3	5	6	2	7	4	8
6	8	2	3	4	7	9	5	1
2	6	5	4	1	3	8	9	7
1	3	7	8	5	9	4	2	6
8	4	9	2	7	6	1	3	5

32

2	5	9	4	7	1	8	6	3
1	4	7	3	6	8	5	9	2
3	8	6	2	9	5	1	4	7
8	7	3	9	5	2	6	1	4
9	2	4	6	1	3	7	5	8
6	1	5	8	4	7	3	2	9
4	3	8	1	2	6	9	7	5
5	9	1	7	3	4	2	8	6
7	6	2	5	8	9	4	3	1

33

2	8	5	4	9	7	6	1	3
4	9	1	6	3	2	8	7	5
6	7	3	5	1	8	9	4	2
9	4	6	2	8	3	1	5	7
7	1	8	9	5	4	2	3	6
3	5	2	7	6	1	4	9	8
8	2	7	3	4	9	5	6	1
1	6	9	8	7	5	3	2	4
5	3	4	1	2	6	7	8	9

34

1	8	9	3	7	4	5	2	6
3	2	7	5	9	6	8	4	1
6	4	5	8	2	1	7	9	3
8	6	2	9	1	3	4	7	5
7	9	3	2	4	5	6	1	8
4	5	1	7	6	8	9	3	2
2	3	8	4	5	7	1	6	9
9	7	6	1	8	2	3	5	4
5	1	4	6	3	9	2	8	7

35

2	6	1	5	3	7	8	9	4
5	7	4	2	8	9	6	1	3
8	3	9	1	4	6	2	5	7
7	9	6	3	1	2	5	4	8
4	5	3	9	6	8	1	7	2
1	2	8	7	5	4	9	3	6
3	8	5	6	7	1	4	2	9
6	1	2	4	9	3	7	8	5
9	4	7	8	2	5	3	6	1

36

9	5	4	1	2	3	7	6	8
7	1	2	4	8	6	3	5	9
6	3	8	9	5	7	2	1	4
3	8	1	5	6	9	4	7	2
4	6	7	8	1	2	5	9	3
5	2	9	7	3	4	1	8	6
1	9	3	6	4	5	8	2	7
2	7	5	3	9	8	6	4	1
8	4	6	2	7	1	9	3	5

37

9	8	5	7	6	4	3	2	1
3	6	1	2	9	5	7	4	8
4	7	2	1	3	8	5	9	6
7	3	4	6	5	2	8	1	9
1	2	6	8	7	9	4	5	3
8	5	9	4	1	3	2	6	7
5	1	8	9	4	7	6	3	2
6	4	7	3	2	1	9	8	5
2	9	3	5	8	6	1	7	4

38

7	3	2	5	9	6	1	4	8
1	4	9	8	2	7	6	3	5
6	8	5	3	4	1	2	9	7
9	5	1	4	7	3	8	2	6
4	7	8	6	1	2	9	5	3
2	6	3	9	5	8	7	1	4
3	1	7	2	6	5	4	8	9
8	9	6	1	3	4	5	7	2
5	2	4	7	8	9	3	6	1

39

8	7	4	3	6	1	5	9	2
1	2	3	9	8	5	4	7	6
6	9	5	4	2	7	8	1	3
9	3	8	2	5	4	1	6	7
7	5	2	6	1	9	3	8	4
4	6	1	8	7	3	2	5	9
3	8	7	5	4	6	9	2	1
5	1	9	7	3	2	6	4	8
2	4	6	1	9	8	7	3	5

40

7	2	8	3	5	4	1	9	6
6	3	5	9	1	8	2	4	7
1	4	9	2	6	7	3	5	8
9	1	6	7	3	5	4	8	2
8	5	2	1	4	9	7	6	3
3	7	4	8	2	6	9	1	5
2	9	7	6	8	1	5	3	4
4	8	1	5	7	3	6	2	9
5	6	3	4	9	2	8	7	1

41

3	5	8	9	7	4	1	2	6
7	4	6	8	2	1	3	5	9
9	2	1	6	3	5	4	7	8
1	6	2	3	9	7	5	8	4
4	7	9	5	8	2	6	3	1
8	3	5	1	4	6	7	9	2
5	8	7	4	1	9	2	6	3
2	1	3	7	6	8	9	4	5
6	9	4	2	5	3	8	1	7

42

2	1	9	7	8	3	5	6	4
6	7	4	2	9	5	1	3	8
5	3	8	6	4	1	9	2	7
4	6	3	8	5	7	2	9	1
9	8	5	1	2	4	3	7	6
1	2	7	3	6	9	4	8	5
8	5	1	9	7	2	6	4	3
3	9	6	4	1	8	7	5	2
7	4	2	5	3	6	8	1	9

43

9	6	4	3	7	8	5	1	2
2	8	5	6	9	1	4	3	7
1	3	7	4	2	5	6	8	9
7	1	6	2	4	3	8	9	5
4	5	8	9	1	6	7	2	3
3	2	9	8	5	7	1	4	6
5	7	2	1	3	4	9	6	8
8	4	3	5	6	9	2	7	1
6	9	1	7	8	2	3	5	4

44

5	7	1	3	8	9	2	4	6
4	2	9	6	5	1	7	8	3
8	6	3	4	7	2	9	5	1
1	5	2	9	4	6	8	3	7
9	8	6	7	3	5	4	1	2
3	4	7	1	2	8	5	6	9
2	9	4	8	6	3	1	7	5
7	3	5	2	1	4	6	9	8
6	1	8	5	9	7	3	2	4

45

4	9	3	5	6	2	7	1	8
7	1	5	9	3	8	2	6	4
2	8	6	7	1	4	3	9	5
8	6	4	1	2	3	5	7	9
3	7	9	8	4	5	6	2	1
5	2	1	6	7	9	4	8	3
6	5	7	3	9	1	8	4	2
1	4	8	2	5	6	9	3	7
9	3	2	4	8	7	1	5	6

46

3	8	2	7	6	1	5	9	4
9	4	6	5	2	8	3	1	7
7	5	1	3	4	9	6	8	2
4	1	7	8	3	6	9	2	5
2	3	9	4	7	5	8	6	1
8	6	5	1	9	2	4	7	3
5	9	3	6	1	7	2	4	8
1	2	8	9	5	4	7	3	6
6	7	4	2	8	3	1	5	9

47

3	2	1	8	4	5	7	6	9
5	8	6	9	2	7	1	4	3
7	9	4	1	3	6	5	2	8
9	7	2	3	6	8	4	1	5
4	6	3	2	5	1	9	8	7
8	1	5	7	9	4	2	3	6
2	3	8	4	7	9	6	5	1
6	4	7	5	1	3	8	9	2
1	5	9	6	8	2	3	7	4

48

6	2	3	8	1	7	5	4	9
4	7	8	9	5	2	3	1	6
1	9	5	3	4	6	2	7	8
7	8	4	6	3	1	9	5	2
9	1	6	4	2	5	8	3	7
3	5	2	7	9	8	1	6	4
5	6	7	1	8	9	4	2	3
8	3	1	2	6	4	7	9	5
2	4	9	5	7	3	6	8	1

49

4	3	6	5	8	9	7	2	1
9	8	1	7	2	3	6	5	4
2	7	5	6	4	1	8	3	9
1	4	3	8	9	6	2	7	5
5	6	9	2	7	4	3	1	8
8	2	7	3	1	5	9	4	6
6	1	2	4	3	8	5	9	7
7	5	4	9	6	2	1	8	3
3	9	8	1	5	7	4	6	2

50

7	1	9	6	4	2	8	3	5
8	2	5	3	9	1	4	7	6
6	4	3	7	8	5	2	9	1
1	6	8	5	3	7	9	4	2
3	7	4	2	1	9	6	5	8
9	5	2	4	6	8	7	1	3
4	9	1	8	2	3	5	6	7
5	8	6	1	7	4	3	2	9
2	3	7	9	5	6	1	8	4

51

3	4	2	6	5	8	7	1	9
1	5	9	2	3	7	8	4	6
7	8	6	1	4	9	3	5	2
8	9	4	7	2	5	6	3	1
5	3	7	9	1	6	2	8	4
6	2	1	4	8	3	9	7	5
9	6	5	3	7	4	1	2	8
4	1	3	8	9	2	5	6	7
2	7	8	5	6	1	4	9	3

52

4	3	6	8	2	5	7	9	1
7	5	8	9	1	6	2	3	4
1	9	2	3	7	4	6	5	8
5	6	3	1	4	2	9	8	7
2	1	4	7	8	9	3	6	5
9	8	7	5	6	3	4	1	2
3	4	1	6	5	7	8	2	9
8	7	9	2	3	1	5	4	6
6	2	5	4	9	8	1	7	3

53

6	9	5	1	2	3	8	7	4
8	4	2	6	9	7	3	1	5
7	1	3	4	8	5	6	2	9
3	8	1	7	6	9	5	4	2
5	2	4	3	1	8	7	9	6
9	6	7	5	4	2	1	3	8
1	5	8	9	7	4	2	6	3
4	3	6	2	5	1	9	8	7
2	7	9	8	3	6	4	5	1

54

6	7	8	9	1	4	2	5	3
3	2	1	5	8	6	9	7	4
4	9	5	3	2	7	1	6	8
7	8	4	2	5	1	3	9	6
5	1	9	7	6	3	4	8	2
2	3	6	8	4	9	7	1	5
1	6	3	4	9	8	5	2	7
8	5	7	1	3	2	6	4	9
9	4	2	6	7	5	8	3	1

55

2	8	4	1	3	5	7	6	9
3	6	5	2	7	9	8	1	4
7	9	1	6	8	4	3	2	5
5	2	3	7	4	1	6	9	8
8	7	6	9	5	3	1	4	2
1	4	9	8	6	2	5	7	3
4	3	7	5	9	6	2	8	1
9	1	8	3	2	7	4	5	6
6	5	2	4	1	8	9	3	7

56

9	7	1	6	4	8	5	2	3
2	8	6	3	9	5	1	4	7
5	3	4	2	1	7	8	9	6
1	6	5	9	7	3	4	8	2
8	9	7	4	5	2	3	6	1
4	2	3	1	8	6	7	5	9
6	4	9	8	3	1	2	7	5
3	5	8	7	2	9	6	1	4
7	1	2	5	6	4	9	3	8

57

2	8	5	9	4	3	6	7	1
4	9	6	1	7	5	8	2	3
3	1	7	2	6	8	4	9	5
8	6	3	4	5	2	7	1	9
5	4	9	7	1	6	3	8	2
1	7	2	8	3	9	5	6	4
7	2	8	5	9	4	1	3	6
6	5	1	3	2	7	9	4	8
9	3	4	6	8	1	2	5	7

58

1	4	6	3	9	5	8	2	7
3	2	5	4	7	8	9	6	1
9	8	7	2	1	6	5	4	3
2	6	3	5	8	9	1	7	4
8	5	1	7	4	2	3	9	6
7	9	4	1	6	3	2	8	5
4	7	2	9	3	1	6	5	8
5	1	8	6	2	7	4	3	9
6	3	9	8	5	4	7	1	2

59

5	4	9	3	2	6	8	1	7
6	3	8	7	9	1	5	2	4
2	7	1	8	4	5	6	9	3
8	5	3	1	7	9	2	4	6
1	9	4	2	6	8	7	3	5
7	6	2	4	5	3	9	8	1
9	2	7	5	3	4	1	6	8
3	1	5	6	8	2	4	7	9
4	8	6	9	1	7	3	5	2

60

9	5	4	3	7	1	8	6	2
3	2	7	8	9	6	5	1	4
1	8	6	4	2	5	3	9	7
6	4	1	9	8	2	7	5	3
5	7	9	6	4	3	2	8	1
2	3	8	1	5	7	6	4	9
4	1	2	7	6	8	9	3	5
7	6	3	5	1	9	4	2	8
8	9	5	2	3	4	1	7	6

61

8	7	3	2	4	1	9	6	5
1	5	6	9	8	3	7	4	2
4	2	9	5	7	6	1	3	8
5	3	7	1	2	8	6	9	4
9	8	1	6	5	4	3	2	7
6	4	2	3	9	7	8	5	1
7	9	5	8	3	2	4	1	6
3	1	8	4	6	5	2	7	9
2	6	4	7	1	9	5	8	3

62

4	3	7	5	1	9	8	6	2
8	5	9	2	6	4	1	7	3
1	2	6	7	3	8	4	5	9
2	9	3	4	8	6	5	1	7
6	8	1	3	7	5	9	2	4
7	4	5	1	9	2	3	8	6
5	6	4	8	2	3	7	9	1
3	1	2	9	5	7	6	4	8
9	7	8	6	4	1	2	3	5

63

3	1	9	2	6	4	7	8	5
2	7	6	5	9	8	1	3	4
5	8	4	3	7	1	9	6	2
9	2	7	4	8	3	6	5	1
8	3	1	6	5	7	4	2	9
4	6	5	9	1	2	8	7	3
6	5	3	8	4	9	2	1	7
7	9	8	1	2	5	3	4	6
1	4	2	7	3	6	5	9	8

64

5	6	7	3	2	9	4	1	8
1	2	4	5	8	7	3	6	9
8	3	9	6	4	1	2	7	5
7	9	2	1	6	3	8	5	4
4	1	8	9	5	2	7	3	6
6	5	3	4	7	8	9	2	1
3	8	5	2	1	4	6	9	7
2	7	6	8	9	5	1	4	3
9	4	1	7	3	6	5	8	2

65

1	7	4	9	3	6	5	8	2
9	2	5	8	7	1	4	6	3
8	6	3	2	5	4	9	1	7
4	5	1	3	6	7	2	9	8
7	8	9	1	2	5	3	4	6
2	3	6	4	9	8	7	5	1
5	9	8	7	1	3	6	2	4
6	4	7	5	8	2	1	3	9
3	1	2	6	4	9	8	7	5

66

6	2	9	8	7	4	1	3	5
5	8	1	3	6	2	4	7	9
3	4	7	9	1	5	2	8	6
7	3	2	1	5	6	8	9	4
9	6	8	7	4	3	5	2	1
1	5	4	2	9	8	3	6	7
4	7	3	5	2	9	6	1	8
8	9	6	4	3	1	7	5	2
2	1	5	6	8	7	9	4	3

67

8	3	9	6	1	4	7	5	2
4	6	7	9	2	5	1	3	8
5	1	2	7	3	8	4	6	9
2	8	6	4	7	1	5	9	3
1	7	3	5	6	9	8	2	4
9	4	5	3	8	2	6	7	1
7	9	4	1	5	3	2	8	6
3	5	8	2	4	6	9	1	7
6	2	1	8	9	7	3	4	5

68

4	5	3	9	7	6	2	8	1
6	7	2	5	8	1	9	3	4
1	8	9	3	2	4	6	5	7
2	9	6	7	1	3	5	4	8
5	4	7	2	9	8	3	1	6
8	3	1	6	4	5	7	9	2
9	6	8	4	3	7	1	2	5
7	2	4	1	5	9	8	6	3
3	1	5	8	6	2	4	7	9

69

5	6	3	7	2	1	8	9	4
4	2	7	8	9	6	5	1	3
1	8	9	4	3	5	6	2	7
9	7	2	5	8	3	4	6	1
6	5	1	2	4	9	3	7	8
8	3	4	1	6	7	2	5	9
7	1	6	3	5	4	9	8	2
3	9	8	6	7	2	1	4	5
2	4	5	9	1	8	7	3	6

70

8	1	7	9	5	6	3	4	2
3	9	2	7	4	1	6	5	8
4	6	5	8	2	3	9	7	1
9	8	6	1	3	7	5	2	4
7	5	4	2	6	8	1	9	3
2	3	1	5	9	4	7	8	6
1	2	9	6	8	5	4	3	7
6	4	8	3	7	9	2	1	5
5	7	3	4	1	2	8	6	9

71

5	8	3	2	6	4	1	7	9
7	2	9	8	3	1	5	4	6
4	1	6	9	5	7	3	8	2
1	9	4	6	7	2	8	3	5
2	3	5	1	4	8	9	6	7
8	6	7	5	9	3	4	2	1
9	4	1	3	2	6	7	5	8
6	7	8	4	1	5	2	9	3
3	5	2	7	8	9	6	1	4

72

6	3	4	2	9	5	7	8	1
2	9	7	8	4	1	6	3	5
8	5	1	3	7	6	2	9	4
7	8	2	5	1	9	3	4	6
5	1	6	4	3	2	9	7	8
3	4	9	6	8	7	1	5	2
4	7	5	1	6	3	8	2	9
1	2	3	9	5	8	4	6	7
9	6	8	7	2	4	5	1	3

73

7	1	4	5	8	6	9	3	2
5	3	8	9	2	7	1	6	4
6	9	2	1	4	3	7	5	8
4	6	7	3	9	8	2	1	5
2	8	9	7	5	1	3	4	6
1	5	3	2	6	4	8	7	9
3	2	6	8	1	5	4	9	7
9	4	1	6	7	2	5	8	3
8	7	5	4	3	9	6	2	1

74

1	8	7	5	2	3	9	4	6
2	5	4	6	9	7	8	1	3
9	6	3	1	8	4	2	7	5
4	7	9	2	6	8	3	5	1
3	1	6	9	7	5	4	8	2
8	2	5	3	4	1	6	9	7
6	3	8	7	5	9	1	2	4
7	9	1	4	3	2	5	6	8
5	4	2	8	1	6	7	3	9

75

4	8	9	1	7	2	6	3	5
5	6	7	3	9	4	8	2	1
3	1	2	5	8	6	4	9	7
1	5	3	6	4	8	2	7	9
8	2	6	9	1	7	5	4	3
9	7	4	2	3	5	1	6	8
6	9	1	8	2	3	7	5	4
7	3	5	4	6	1	9	8	2
2	4	8	7	5	9	3	1	6

76

1	5	8	7	9	2	4	3	6
7	6	4	5	3	1	2	8	9
9	3	2	4	8	6	1	7	5
2	1	3	6	7	5	9	4	8
8	9	6	1	4	3	5	2	7
4	7	5	9	2	8	3	6	1
6	2	7	3	1	9	8	5	4
3	4	1	8	5	7	6	9	2
5	8	9	2	6	4	7	1	3

77

7	9	2	3	5	1	6	8	4
5	8	4	9	6	2	7	1	3
6	1	3	8	4	7	2	9	5
9	3	6	4	7	8	5	2	1
8	2	5	6	1	3	4	7	9
4	7	1	5	2	9	8	3	6
2	5	8	1	3	6	9	4	7
3	4	9	7	8	5	1	6	2
1	6	7	2	9	4	3	5	8

78

5	6	2	7	1	8	3	9	4
1	7	8	4	3	9	6	5	2
9	4	3	6	2	5	8	7	1
7	3	4	8	6	1	5	2	9
2	5	9	3	7	4	1	8	6
6	8	1	5	9	2	7	4	3
8	1	5	2	4	3	9	6	7
3	2	6	9	5	7	4	1	8
4	9	7	1	8	6	2	3	5

79

9	1	3	7	4	5	8	6	2
4	5	8	6	9	2	1	7	3
2	7	6	8	1	3	9	4	5
6	9	2	1	3	8	4	5	7
7	8	5	4	2	6	3	9	1
3	4	1	5	7	9	6	2	8
5	6	9	2	8	1	7	3	4
1	3	4	9	5	7	2	8	6
8	2	7	3	6	4	5	1	9

80

5	7	6	8	3	2	1	9	4
3	1	8	9	4	6	7	5	2
9	4	2	1	7	5	8	3	6
7	2	9	5	6	8	3	4	1
6	3	4	7	9	1	5	2	8
8	5	1	3	2	4	6	7	9
1	9	5	4	8	3	2	6	7
4	6	3	2	1	7	9	8	5
2	8	7	6	5	9	4	1	3

81

8	4	9	7	1	3	6	5	2
1	3	5	8	6	2	9	7	4
7	2	6	5	4	9	1	8	3
3	1	7	4	2	5	8	9	6
5	6	2	3	9	8	4	1	7
4	9	8	6	7	1	2	3	5
2	7	3	1	8	6	5	4	9
6	8	4	9	5	7	3	2	1
9	5	1	2	3	4	7	6	8

82

8	1	7	9	6	5	2	4	3
5	6	3	4	1	2	9	8	7
9	4	2	3	7	8	1	5	6
7	2	9	5	3	1	8	6	4
4	3	8	6	9	7	5	2	1
6	5	1	8	2	4	7	3	9
2	9	4	7	8	3	6	1	5
3	8	6	1	5	9	4	7	2
1	7	5	2	4	6	3	9	8

83

3	9	2	8	4	7	1	5	6
1	4	6	5	9	3	2	7	8
7	8	5	6	2	1	4	9	3
9	3	7	4	1	2	8	6	5
2	6	1	3	8	5	7	4	9
4	5	8	7	6	9	3	2	1
6	7	4	9	3	8	5	1	2
5	2	3	1	7	6	9	8	4
8	1	9	2	5	4	6	3	7

84

8	2	7	1	6	4	5	3	9
4	3	1	9	5	8	2	6	7
5	6	9	7	2	3	8	1	4
6	7	3	8	4	2	9	5	1
9	8	4	3	1	5	7	2	6
1	5	2	6	9	7	3	4	8
7	4	8	2	3	1	6	9	5
2	9	5	4	7	6	1	8	3
3	1	6	5	8	9	4	7	2

85

4	9	6	3	7	5	1	8	2
2	8	7	9	6	1	3	4	5
3	1	5	4	2	8	9	7	6
8	7	3	5	9	4	6	2	1
6	5	4	2	1	7	8	9	3
9	2	1	6	8	3	4	5	7
7	6	2	1	4	9	5	3	8
1	3	9	8	5	2	7	6	4
5	4	8	7	3	6	2	1	9

86

5	6	9	8	1	3	2	7	4
8	4	1	9	7	2	3	5	6
2	3	7	4	5	6	8	9	1
3	2	8	1	6	9	7	4	5
6	7	5	2	4	8	1	3	9
1	9	4	7	3	5	6	2	8
9	5	3	6	2	1	4	8	7
7	8	6	3	9	4	5	1	2
4	1	2	5	8	7	9	6	3

87

5	3	1	4	7	2	8	6	9
8	2	6	9	1	3	4	7	5
4	7	9	5	6	8	3	2	1
3	9	8	6	4	5	2	1	7
1	6	5	3	2	7	9	8	4
2	4	7	1	8	9	5	3	6
9	8	4	7	3	6	1	5	2
7	5	3	2	9	1	6	4	8
6	1	2	8	5	4	7	9	3

88

2	6	9	4	1	3	5	7	8
1	7	4	8	2	5	9	6	3
5	8	3	7	9	6	4	2	1
7	4	5	3	8	2	1	9	6
3	2	6	9	7	1	8	4	5
9	1	8	6	5	4	7	3	2
4	9	1	2	3	8	6	5	7
8	3	7	5	6	9	2	1	4
6	5	2	1	4	7	3	8	9

89

9	8	6	7	4	2	5	3	1
1	3	5	9	6	8	4	7	2
4	2	7	3	1	5	8	6	9
3	1	4	6	2	9	7	8	5
7	6	2	8	5	4	9	1	3
8	5	9	1	7	3	6	2	4
2	7	8	4	9	1	3	5	6
5	9	3	2	8	6	1	4	7
6	4	1	5	3	7	2	9	8

90

7	2	5	6	1	3	9	4	8
6	8	3	4	7	9	1	2	5
4	9	1	5	8	2	7	3	6
5	6	8	3	9	7	2	1	4
3	1	9	8	2	4	6	5	7
2	7	4	1	6	5	8	9	3
1	5	7	9	4	8	3	6	2
9	4	2	7	3	6	5	8	1
8	3	6	2	5	1	4	7	9

91

7	9	5	8	4	6	2	3	1
3	6	1	2	7	9	4	8	5
2	8	4	1	3	5	7	9	6
8	2	9	4	6	7	5	1	3
1	4	7	3	5	8	6	2	9
6	5	3	9	2	1	8	4	7
5	1	8	6	9	4	3	7	2
9	7	2	5	8	3	1	6	4
4	3	6	7	1	2	9	5	8

92

4	5	1	6	8	7	2	9	3
7	6	9	4	2	3	1	8	5
2	8	3	1	9	5	6	7	4
3	2	6	5	7	8	4	1	9
5	1	7	9	4	6	3	2	8
9	4	8	2	3	1	5	6	7
6	9	4	7	5	2	8	3	1
8	7	2	3	1	4	9	5	6
1	3	5	8	6	9	7	4	2

93

8	3	6	5	7	2	4	1	9
7	9	4	1	3	6	2	8	5
5	2	1	9	4	8	6	7	3
9	1	8	6	5	7	3	4	2
6	7	5	3	2	4	8	9	1
2	4	3	8	1	9	7	5	6
4	6	2	7	9	1	5	3	8
3	8	9	4	6	5	1	2	7
1	5	7	2	8	3	9	6	4

94

5	6	9	4	3	1	8	2	7
4	1	2	8	7	9	5	3	6
3	7	8	5	6	2	1	9	4
1	8	3	2	5	4	7	6	9
9	4	6	1	8	7	3	5	2
7	2	5	3	9	6	4	8	1
6	3	1	7	2	8	9	4	5
2	5	7	9	4	3	6	1	8
8	9	4	6	1	5	2	7	3

95

5	6	8	7	1	2	3	9	4
2	1	4	8	3	9	7	6	5
9	3	7	6	5	4	1	2	8
1	2	3	9	8	5	4	7	6
4	8	9	3	7	6	2	5	1
6	7	5	2	4	1	9	8	3
7	4	6	1	9	8	5	3	2
3	5	2	4	6	7	8	1	9
8	9	1	5	2	3	6	4	7

96

7	3	4	6	9	5	8	2	1
9	1	8	2	3	4	5	7	6
6	5	2	7	8	1	3	9	4
3	2	7	4	5	8	6	1	9
1	4	5	9	6	7	2	3	8
8	9	6	1	2	3	7	4	5
4	7	3	8	1	6	9	5	2
5	6	9	3	4	2	1	8	7
2	8	1	5	7	9	4	6	3

97

3	5	6	8	7	4	1	9	2
2	8	1	9	3	5	4	6	7
4	7	9	1	2	6	8	5	3
5	1	4	7	8	3	9	2	6
8	3	2	6	5	9	7	4	1
9	6	7	2	4	1	3	8	5
7	4	8	5	1	2	6	3	9
6	2	3	4	9	7	5	1	8
1	9	5	3	6	8	2	7	4

98

8	6	1	7	5	9	4	2	3
4	7	9	2	3	1	8	6	5
2	5	3	8	4	6	9	7	1
7	1	8	3	9	4	6	5	2
5	3	2	6	1	8	7	4	9
9	4	6	5	7	2	3	1	8
6	2	7	1	8	3	5	9	4
1	8	4	9	6	5	2	3	7
3	9	5	4	2	7	1	8	6

99

3	7	5	9	1	2	4	6	8
1	4	9	8	6	3	2	5	7
2	8	6	5	7	4	9	3	1
5	1	4	2	9	6	7	8	3
9	6	3	7	5	8	1	2	4
7	2	8	4	3	1	5	9	6
4	9	1	3	8	5	6	7	2
8	5	2	6	4	7	3	1	9
6	3	7	1	2	9	8	4	5

100

2	5	7	3	8	1	4	9	6
9	6	8	2	4	5	1	3	7
4	1	3	7	9	6	5	2	8
8	2	6	4	7	3	9	1	5
7	9	4	1	5	2	8	6	3
5	3	1	9	6	8	7	4	2
1	7	5	6	3	9	2	8	4
3	4	2	8	1	7	6	5	9
6	8	9	5	2	4	3	7	1

101

4	7	3	1	9	6	8	5	2
1	6	9	5	2	8	7	4	3
8	2	5	3	4	7	1	9	6
3	5	7	8	1	2	9	6	4
9	8	2	6	7	4	5	3	1
6	1	4	9	3	5	2	7	8
7	3	8	4	5	1	6	2	9
2	4	1	7	6	9	3	8	5
5	9	6	2	8	3	4	1	7

102

8	9	4	2	5	7	6	3	1
5	6	2	9	3	1	4	8	7
3	7	1	8	4	6	5	2	9
1	4	6	5	8	2	7	9	3
7	5	3	6	1	9	2	4	8
2	8	9	3	7	4	1	6	5
4	3	8	7	2	5	9	1	6
9	2	7	1	6	8	3	5	4
6	1	5	4	9	3	8	7	2

103

8	5	1	2	6	9	4	7	3
9	3	7	5	1	4	2	8	6
6	4	2	8	7	3	5	9	1
1	8	4	6	9	2	7	3	5
7	6	5	4	3	1	8	2	9
3	2	9	7	8	5	1	6	4
5	9	6	1	2	7	3	4	8
2	1	3	9	4	8	6	5	7
4	7	8	3	5	6	9	1	2

104

3	2	5	7	8	1	4	6	9
9	8	7	2	6	4	5	1	3
6	1	4	9	5	3	2	7	8
8	6	2	4	1	9	3	5	7
5	7	3	6	2	8	9	4	1
1	4	9	3	7	5	8	2	6
2	3	6	8	4	7	1	9	5
4	5	8	1	9	6	7	3	2
7	9	1	5	3	2	6	8	4

105

9	4	1	5	2	3	7	8	6
7	6	8	1	9	4	5	3	2
3	5	2	6	7	8	1	9	4
6	1	9	3	8	2	4	5	7
2	3	4	7	5	1	8	6	9
5	8	7	9	4	6	2	1	3
4	9	3	8	1	7	6	2	5
8	7	5	2	6	9	3	4	1
1	2	6	4	3	5	9	7	8

106

6	1	7	2	4	9	5	8	3
4	5	8	3	7	6	2	9	1
9	3	2	1	5	8	7	6	4
3	7	6	5	8	4	9	1	2
2	8	5	9	1	7	4	3	6
1	9	4	6	3	2	8	5	7
5	4	9	7	6	3	1	2	8
7	6	1	8	2	5	3	4	9
8	2	3	4	9	1	6	7	5

107

5	9	4	6	2	7	1	3	8
3	2	1	8	9	5	6	7	4
7	8	6	4	1	3	9	5	2
2	7	9	3	6	8	4	1	5
6	4	3	1	5	9	8	2	7
1	5	8	7	4	2	3	9	6
4	6	5	2	3	1	7	8	9
9	1	7	5	8	6	2	4	3
8	3	2	9	7	4	5	6	1

108

8	9	2	3	5	6	4	7	1
7	3	4	2	1	8	5	9	6
5	1	6	7	4	9	2	8	3
9	2	8	6	3	5	7	1	4
3	5	1	4	9	7	8	6	2
4	6	7	1	8	2	9	3	5
2	4	3	8	7	1	6	5	9
1	7	5	9	6	4	3	2	8
6	8	9	5	2	3	1	4	7

109

3	8	1	6	7	5	2	4	9
2	5	7	8	4	9	1	3	6
6	9	4	2	1	3	5	8	7
1	4	5	9	3	7	6	2	8
7	6	2	4	8	1	3	9	5
8	3	9	5	6	2	7	1	4
5	2	3	7	9	4	8	6	1
9	7	8	1	2	6	4	5	3
4	1	6	3	5	8	9	7	2

110

8	7	2	9	6	5	3	1	4
5	9	4	3	1	8	7	2	6
1	6	3	4	7	2	5	8	9
3	2	5	8	9	6	4	7	1
6	1	8	7	4	3	9	5	2
9	4	7	2	5	1	8	6	3
7	5	6	1	3	9	2	4	8
4	8	9	6	2	7	1	3	5
2	3	1	5	8	4	6	9	7

111

3	5	6	9	4	7	1	8	2
4	2	7	8	1	5	6	3	9
8	1	9	2	6	3	5	4	7
1	3	2	6	7	8	4	9	5
9	8	4	5	2	1	7	6	3
6	7	5	4	3	9	2	1	8
2	9	3	1	5	6	8	7	4
5	6	8	7	9	4	3	2	1
7	4	1	3	8	2	9	5	6

112

5	9	8	6	7	4	1	3	2
6	2	3	8	5	1	7	9	4
4	1	7	9	3	2	5	6	8
2	6	1	5	8	9	4	7	3
7	3	5	4	2	6	9	8	1
8	4	9	7	1	3	6	2	5
1	7	6	3	4	8	2	5	9
9	8	4	2	6	5	3	1	7
3	5	2	1	9	7	8	4	6

113

7	5	3	4	9	2	8	1	6
4	6	2	3	1	8	5	9	7
8	1	9	5	6	7	3	2	4
9	2	5	7	3	6	4	8	1
3	8	7	2	4	1	6	5	9
1	4	6	8	5	9	7	3	2
6	7	8	9	2	3	1	4	5
5	9	1	6	8	4	2	7	3
2	3	4	1	7	5	9	6	8

114

2	8	6	9	4	1	3	7	5
7	1	5	8	6	3	2	4	9
3	4	9	5	2	7	1	8	6
5	7	4	2	1	8	9	6	3
9	2	8	3	5	6	7	1	4
6	3	1	4	7	9	5	2	8
8	9	2	1	3	4	6	5	7
1	6	3	7	8	5	4	9	2
4	5	7	6	9	2	8	3	1

115

6	1	5	4	9	7	2	8	3
3	4	2	5	1	8	7	6	9
8	7	9	6	2	3	5	4	1
5	2	3	7	6	9	4	1	8
7	9	1	8	4	2	3	5	6
4	6	8	1	3	5	9	2	7
1	5	4	3	7	6	8	9	2
2	3	6	9	8	4	1	7	5
9	8	7	2	5	1	6	3	4

116

2	1	6	5	3	9	4	7	8
9	4	3	7	6	8	5	1	2
8	7	5	4	1	2	6	9	3
5	9	2	1	7	4	8	3	6
3	8	7	9	5	6	2	4	1
1	6	4	2	8	3	7	5	9
4	3	9	6	2	7	1	8	5
7	2	1	8	9	5	3	6	4
6	5	8	3	4	1	9	2	7

117

3	2	5	9	8	6	7	1	4
6	8	7	2	1	4	5	9	3
9	4	1	3	5	7	8	2	6
4	9	3	5	7	1	6	8	2
2	1	8	6	3	9	4	5	7
5	7	6	4	2	8	1	3	9
7	3	2	1	6	5	9	4	8
1	6	9	8	4	3	2	7	5
8	5	4	7	9	2	3	6	1

118

3	4	1	8	7	2	6	5	9
7	5	9	4	6	1	2	3	8
2	8	6	9	5	3	7	4	1
8	9	3	6	4	5	1	7	2
4	1	7	2	3	8	9	6	5
6	2	5	1	9	7	3	8	4
1	7	8	3	2	4	5	9	6
9	3	4	5	1	6	8	2	7
5	6	2	7	8	9	4	1	3

119

4	1	8	9	7	2	3	5	6
7	6	5	8	1	3	2	4	9
2	3	9	4	5	6	7	8	1
5	8	1	3	2	7	9	6	4
6	7	4	1	9	8	5	2	3
3	9	2	6	4	5	8	1	7
1	5	3	2	6	9	4	7	8
9	4	7	5	8	1	6	3	2
8	2	6	7	3	4	1	9	5

120

6	9	4	1	2	7	3	8	5
7	3	5	8	6	4	9	1	2
8	2	1	5	3	9	6	7	4
3	5	6	2	8	1	4	9	7
9	8	2	4	7	5	1	6	3
4	1	7	6	9	3	5	2	8
1	7	9	3	5	8	2	4	6
2	4	3	7	1	6	8	5	9
5	6	8	9	4	2	7	3	1

121

1	7	2	8	9	5	3	4	6
4	6	8	2	3	7	1	5	9
9	3	5	6	1	4	2	8	7
3	9	1	7	4	8	5	6	2
2	8	4	5	6	3	7	9	1
7	5	6	1	2	9	4	3	8
6	1	3	4	8	2	9	7	5
5	2	9	3	7	6	8	1	4
8	4	7	9	5	1	6	2	3

122

3	6	1	5	2	9	4	7	8
8	4	9	6	1	7	5	3	2
7	2	5	8	4	3	6	1	9
9	7	2	3	8	6	1	5	4
4	5	3	2	9	1	7	8	6
6	1	8	7	5	4	9	2	3
1	8	7	4	6	2	3	9	5
2	9	6	1	3	5	8	4	7
5	3	4	9	7	8	2	6	1

123

7	8	4	5	9	2	6	1	3
1	5	2	4	6	3	7	9	8
6	9	3	1	8	7	2	4	5
9	6	8	7	2	1	3	5	4
3	2	1	6	4	5	9	8	7
5	4	7	9	3	8	1	2	6
4	3	9	2	5	6	8	7	1
2	1	6	8	7	4	5	3	9
8	7	5	3	1	9	4	6	2

124

5	2	7	1	9	4	3	6	8
4	3	1	6	7	8	5	2	9
6	8	9	5	3	2	1	7	4
7	5	8	2	1	9	4	3	6
9	4	3	7	6	5	2	8	1
2	1	6	4	8	3	7	9	5
1	7	2	8	4	6	9	5	3
3	6	5	9	2	1	8	4	7
8	9	4	3	5	7	6	1	2

125

1	4	7	2	3	9	6	8	5
6	3	5	7	1	8	2	4	9
2	8	9	6	5	4	3	1	7
7	9	3	5	8	1	4	6	2
8	5	6	3	4	2	9	7	1
4	1	2	9	6	7	5	3	8
3	6	8	1	9	5	7	2	4
5	2	4	8	7	6	1	9	3
9	7	1	4	2	3	8	5	6

126

3	2	9	4	8	5	7	1	6
7	8	4	2	1	6	5	3	9
6	5	1	3	7	9	4	8	2
4	9	3	6	2	1	8	5	7
8	6	5	7	3	4	9	2	1
1	7	2	5	9	8	6	4	3
2	4	7	8	6	3	1	9	5
9	3	8	1	5	7	2	6	4
5	1	6	9	4	2	3	7	8

127

8	2	9	3	1	6	4	5	7
5	7	4	8	9	2	3	1	6
6	3	1	7	5	4	8	2	9
4	5	2	6	7	8	1	9	3
9	1	6	5	4	3	7	8	2
3	8	7	9	2	1	6	4	5
1	4	5	2	6	7	9	3	8
2	6	8	4	3	9	5	7	1
7	9	3	1	8	5	2	6	4

128

7	4	9	2	5	3	1	8	6
5	6	8	9	4	1	3	7	2
2	3	1	7	6	8	9	5	4
3	8	6	1	2	7	4	9	5
9	2	4	5	3	6	7	1	8
1	7	5	8	9	4	6	2	3
8	9	3	6	7	5	2	4	1
6	1	7	4	8	2	5	3	9
4	5	2	3	1	9	8	6	7

129

8	3	4	1	5	7	2	9	6
7	5	6	2	4	9	8	1	3
1	9	2	3	6	8	4	5	7
3	8	7	4	1	6	9	2	5
6	4	5	7	9	2	3	8	1
2	1	9	5	8	3	6	7	4
5	6	1	8	2	4	7	3	9
9	7	8	6	3	5	1	4	2
4	2	3	9	7	1	5	6	8

130

3	8	1	4	7	9	6	2	5
7	6	5	3	2	8	4	9	1
2	4	9	1	5	6	7	3	8
4	3	8	7	9	1	5	6	2
6	5	7	2	3	4	8	1	9
9	1	2	8	6	5	3	4	7
8	9	6	5	4	2	1	7	3
1	2	3	6	8	7	9	5	4
5	7	4	9	1	3	2	8	6

131

9	2	5	6	7	1	3	8	4
3	1	8	4	5	9	6	2	7
4	6	7	3	8	2	9	5	1
6	5	3	2	4	7	1	9	8
1	7	4	9	3	8	2	6	5
2	8	9	1	6	5	4	7	3
8	4	6	5	9	3	7	1	2
5	3	2	7	1	6	8	4	9
7	9	1	8	2	4	5	3	6

132

6	8	2	3	4	1	9	5	7
4	7	5	9	8	6	1	3	2
9	1	3	5	7	2	4	8	6
3	9	4	1	2	5	7	6	8
2	6	7	8	9	4	3	1	5
1	5	8	6	3	7	2	4	9
7	2	6	4	5	3	8	9	1
5	4	9	2	1	8	6	7	3
8	3	1	7	6	9	5	2	4

133

2	1	7	3	8	6	4	5	9
9	3	4	1	5	2	8	7	6
6	8	5	7	9	4	2	1	3
4	7	3	8	6	1	9	2	5
1	9	6	5	2	7	3	8	4
8	5	2	9	4	3	7	6	1
3	2	9	6	1	8	5	4	7
5	4	1	2	7	9	6	3	8
7	6	8	4	3	5	1	9	2

134

7	6	1	5	8	3	4	2	9
4	8	9	6	2	1	5	7	3
2	5	3	4	7	9	6	1	8
6	9	2	3	1	7	8	4	5
8	1	4	2	9	5	7	3	6
3	7	5	8	6	4	1	9	2
1	3	8	9	4	6	2	5	7
9	4	6	7	5	2	3	8	1
5	2	7	1	3	8	9	6	4

135

6	7	3	5	8	9	4	2	1
8	9	1	2	6	4	3	5	7
2	4	5	1	3	7	6	8	9
9	1	6	8	4	2	5	7	3
5	3	2	7	1	6	9	4	8
4	8	7	9	5	3	2	1	6
3	5	8	4	9	1	7	6	2
1	2	9	6	7	5	8	3	4
7	6	4	3	2	8	1	9	5

136

2	7	4	5	8	9	3	6	1
8	9	6	1	4	3	7	2	5
1	3	5	7	2	6	4	8	9
5	2	3	9	6	1	8	7	4
9	6	7	8	5	4	1	3	2
4	1	8	3	7	2	5	9	6
7	8	2	4	9	5	6	1	3
3	5	9	6	1	7	2	4	8
6	4	1	2	3	8	9	5	7

137

7	5	6	4	8	9	3	2	1
8	4	1	3	2	6	7	5	9
2	3	9	5	7	1	8	4	6
4	8	7	2	1	5	9	6	3
6	9	5	7	4	3	1	8	2
3	1	2	6	9	8	4	7	5
1	6	3	8	5	4	2	9	7
5	2	4	9	3	7	6	1	8
9	7	8	1	6	2	5	3	4

138

6	5	3	1	4	2	9	7	8
9	2	4	5	7	8	3	6	1
8	7	1	9	3	6	4	2	5
3	4	8	2	5	1	6	9	7
7	9	5	8	6	4	1	3	2
1	6	2	7	9	3	5	8	4
5	3	6	4	2	7	8	1	9
2	1	9	3	8	5	7	4	6
4	8	7	6	1	9	2	5	3

139

1	4	8	3	7	6	5	9	2
3	2	7	1	9	5	4	8	6
9	5	6	4	8	2	3	1	7
5	1	9	2	6	3	7	4	8
7	6	4	8	5	9	1	2	3
8	3	2	7	1	4	6	5	9
6	8	1	9	4	7	2	3	5
2	9	5	6	3	1	8	7	4
4	7	3	5	2	8	9	6	1

140

3	4	8	2	5	1	6	7	9
2	6	7	9	3	8	4	5	1
5	1	9	7	4	6	3	8	2
1	2	4	3	9	7	8	6	5
7	9	6	8	1	5	2	3	4
8	3	5	6	2	4	9	1	7
4	8	3	1	7	2	5	9	6
6	5	1	4	8	9	7	2	3
9	7	2	5	6	3	1	4	8

141

8	1	4	2	6	9	7	3	5
9	2	3	5	7	4	1	6	8
5	7	6	3	8	1	2	9	4
7	8	1	4	9	3	5	2	6
4	6	2	1	5	7	3	8	9
3	5	9	6	2	8	4	7	1
6	9	5	7	1	2	8	4	3
1	4	7	8	3	6	9	5	2
2	3	8	9	4	5	6	1	7

142

3	6	1	7	4	8	9	5	2
4	9	2	3	1	5	6	7	8
8	7	5	9	6	2	3	4	1
9	3	6	8	7	4	1	2	5
5	2	7	1	9	6	4	8	3
1	4	8	5	2	3	7	9	6
6	5	3	4	8	7	2	1	9
7	8	9	2	3	1	5	6	4
2	1	4	6	5	9	8	3	7

143

9	4	2	6	1	3	8	5	7
7	5	6	2	8	4	3	9	1
3	8	1	9	5	7	6	4	2
1	9	3	5	7	2	4	6	8
6	7	4	3	9	8	2	1	5
8	2	5	1	4	6	9	7	3
2	6	7	4	3	1	5	8	9
4	1	9	8	2	5	7	3	6
5	3	8	7	6	9	1	2	4

144

9	6	5	2	7	4	3	1	8
2	8	4	1	5	3	6	7	9
7	1	3	9	6	8	2	5	4
3	2	9	5	8	6	7	4	1
1	7	8	3	4	2	5	9	6
5	4	6	7	9	1	8	3	2
4	9	2	8	3	7	1	6	5
8	5	7	6	1	9	4	2	3
6	3	1	4	2	5	9	8	7

145

8	7	5	4	1	2	3	6	9
1	3	6	8	5	9	2	7	4
2	9	4	7	3	6	8	1	5
5	1	9	2	7	3	4	8	6
3	4	8	9	6	5	7	2	1
7	6	2	1	8	4	5	9	3
6	5	1	3	2	8	9	4	7
4	2	7	5	9	1	6	3	8
9	8	3	6	4	7	1	5	2

146

9	4	7	5	6	3	8	1	2
6	1	8	2	9	7	3	4	5
5	3	2	1	8	4	7	6	9
1	2	9	4	3	5	6	8	7
7	5	6	8	1	2	9	3	4
3	8	4	6	7	9	2	5	1
8	9	3	7	5	1	4	2	6
2	6	5	9	4	8	1	7	3
4	7	1	3	2	6	5	9	8

147

4	2	1	7	9	8	3	6	5
5	8	6	4	1	3	7	2	9
7	9	3	5	6	2	1	4	8
3	4	8	2	7	9	6	5	1
6	7	2	8	5	1	9	3	4
9	1	5	6	3	4	2	8	7
1	5	4	3	2	7	8	9	6
2	6	7	9	8	5	4	1	3
8	3	9	1	4	6	5	7	2

148

2	8	7	5	6	9	3	4	1
3	1	9	2	7	4	5	6	8
6	4	5	1	3	8	7	2	9
7	6	2	4	1	3	9	8	5
1	5	4	8	9	2	6	7	3
8	9	3	6	5	7	2	1	4
4	3	8	7	2	5	1	9	6
9	2	1	3	8	6	4	5	7
5	7	6	9	4	1	8	3	2

149

8	3	7	2	9	6	4	1	5
4	9	2	8	1	5	7	3	6
6	5	1	7	3	4	2	8	9
9	1	8	4	2	3	5	6	7
2	7	5	1	6	8	3	9	4
3	4	6	9	5	7	1	2	8
1	6	4	3	7	9	8	5	2
7	2	9	5	8	1	6	4	3
5	8	3	6	4	2	9	7	1

150

6	3	4	7	5	8	1	2	9
5	7	1	2	9	4	8	6	3
9	8	2	3	1	6	4	5	7
2	1	9	6	8	7	5	3	4
4	6	7	5	2	3	9	8	1
3	5	8	1	4	9	6	7	2
7	9	5	8	3	1	2	4	6
8	4	3	9	6	2	7	1	5
1	2	6	4	7	5	3	9	8

151

8	3	1	9	4	7	2	5	6
4	9	5	2	3	6	8	7	1
7	2	6	8	5	1	9	4	3
2	5	7	4	6	8	3	1	9
1	4	8	7	9	3	6	2	5
3	6	9	1	2	5	4	8	7
5	7	2	6	8	9	1	3	4
9	8	3	5	1	4	7	6	2
6	1	4	3	7	2	5	9	8

152

1	3	4	5	6	9	7	2	8
9	8	5	3	2	7	1	6	4
2	7	6	4	1	8	5	3	9
8	9	1	2	7	6	3	4	5
4	2	3	1	8	5	6	9	7
5	6	7	9	3	4	2	8	1
6	1	9	7	4	2	8	5	3
3	5	2	8	9	1	4	7	6
7	4	8	6	5	3	9	1	2

153

2	9	4	6	7	3	1	5	8
6	7	1	8	2	5	9	3	4
5	8	3	9	1	4	2	6	7
4	1	6	3	5	2	7	8	9
8	2	9	4	6	7	3	1	5
3	5	7	1	9	8	6	4	2
9	4	5	7	3	1	8	2	6
7	3	8	2	4	6	5	9	1
1	6	2	5	8	9	4	7	3

154

1	5	3	2	4	6	7	8	9
6	7	9	3	8	5	1	4	2
8	4	2	1	7	9	5	6	3
5	8	1	9	2	7	6	3	4
7	2	4	6	3	1	9	5	8
9	3	6	4	5	8	2	1	7
3	9	5	7	6	4	8	2	1
4	6	7	8	1	2	3	9	5
2	1	8	5	9	3	4	7	6

155

3	4	2	1	9	6	5	8	7
5	1	9	3	8	7	2	4	6
6	7	8	5	4	2	1	3	9
8	2	3	6	5	1	7	9	4
4	6	5	9	7	3	8	2	1
7	9	1	4	2	8	6	5	3
9	5	6	2	1	4	3	7	8
1	8	4	7	3	5	9	6	2
2	3	7	8	6	9	4	1	5

156

7	2	1	4	8	6	9	3	5
6	8	5	3	9	2	1	4	7
3	9	4	5	7	1	8	6	2
5	1	6	9	2	7	4	8	3
2	4	9	6	3	8	5	7	1
8	7	3	1	5	4	6	2	9
1	5	8	7	6	3	2	9	4
4	3	2	8	1	9	7	5	6
9	6	7	2	4	5	3	1	8

157

7	8	2	9	6	4	1	3	5
9	1	3	2	8	5	6	4	7
6	4	5	7	1	3	8	2	9
4	5	6	8	3	9	2	7	1
8	7	9	1	4	2	3	5	6
3	2	1	5	7	6	4	9	8
2	6	7	4	5	8	9	1	3
5	3	4	6	9	1	7	8	2
1	9	8	3	2	7	5	6	4

158

2	7	4	6	3	5	8	9	1
3	5	1	8	2	9	7	6	4
6	8	9	4	1	7	5	2	3
1	9	6	2	7	4	3	5	8
7	2	3	5	8	6	4	1	9
5	4	8	1	9	3	2	7	6
9	1	2	3	5	8	6	4	7
8	6	7	9	4	2	1	3	5
4	3	5	7	6	1	9	8	2

159

3	4	2	9	5	7	6	8	1
7	6	9	4	8	1	2	3	5
5	1	8	3	6	2	7	4	9
4	8	3	2	1	5	9	6	7
2	7	6	8	9	4	1	5	3
1	9	5	7	3	6	8	2	4
9	5	7	6	4	8	3	1	2
6	3	1	5	2	9	4	7	8
8	2	4	1	7	3	5	9	6

160

1	5	4	9	8	7	6	2	3
9	8	2	1	6	3	5	7	4
6	7	3	4	2	5	9	1	8
8	4	6	2	7	1	3	5	9
5	3	1	6	4	9	2	8	7
2	9	7	5	3	8	1	4	6
4	6	9	7	5	2	8	3	1
3	1	5	8	9	4	7	6	2
7	2	8	3	1	6	4	9	5

161

6	9	4	5	7	1	3	8	2
1	8	3	6	2	4	9	5	7
7	2	5	3	8	9	1	6	4
2	5	7	1	9	8	6	4	3
3	4	9	7	6	2	8	1	5
8	6	1	4	3	5	2	7	9
5	3	2	8	1	7	4	9	6
4	1	6	9	5	3	7	2	8
9	7	8	2	4	6	5	3	1

162

5	6	1	4	7	8	2	9	3
4	3	2	5	9	1	6	7	8
8	7	9	6	3	2	1	4	5
9	4	6	7	1	5	8	3	2
3	5	8	2	4	6	9	1	7
2	1	7	9	8	3	4	5	6
7	9	3	8	2	4	5	6	1
1	2	5	3	6	9	7	8	4
6	8	4	1	5	7	3	2	9

163

8	6	7	5	3	9	1	4	2
9	4	5	6	2	1	3	8	7
2	3	1	4	8	7	9	6	5
7	1	6	8	9	4	2	5	3
5	8	2	3	7	6	4	9	1
4	9	3	1	5	2	6	7	8
3	7	4	9	1	5	8	2	6
6	5	8	2	4	3	7	1	9
1	2	9	7	6	8	5	3	4

164

9	1	3	2	8	5	7	6	4
2	6	8	7	4	3	5	1	9
5	7	4	6	1	9	3	2	8
4	9	1	5	6	8	2	7	3
6	3	7	1	9	2	8	4	5
8	2	5	4	3	7	6	9	1
1	5	2	3	7	4	9	8	6
7	8	6	9	5	1	4	3	2
3	4	9	8	2	6	1	5	7

165

3	5	4	1	2	6	7	9	8
2	8	6	9	7	3	5	1	4
1	7	9	4	8	5	3	6	2
8	3	7	2	5	9	1	4	6
5	9	2	6	1	4	8	7	3
4	6	1	7	3	8	9	2	5
9	4	8	5	6	7	2	3	1
7	2	3	8	4	1	6	5	9
6	1	5	3	9	2	4	8	7

166

1	3	7	4	2	6	5	9	8
5	6	9	1	8	7	2	3	4
2	4	8	9	3	5	6	1	7
7	1	4	2	6	8	9	5	3
9	8	2	3	5	1	7	4	6
3	5	6	7	9	4	1	8	2
8	7	3	5	1	2	4	6	9
6	2	1	8	4	9	3	7	5
4	9	5	6	7	3	8	2	1

167

1	4	2	6	3	9	8	7	5
9	6	8	5	2	7	3	1	4
7	3	5	1	8	4	2	9	6
5	2	1	4	7	8	9	6	3
4	9	6	3	1	2	7	5	8
8	7	3	9	6	5	1	4	2
6	8	9	7	4	3	5	2	1
2	5	4	8	9	1	6	3	7
3	1	7	2	5	6	4	8	9

168

9	3	8	6	1	5	2	4	7
6	2	7	4	3	8	1	5	9
4	1	5	2	7	9	8	3	6
3	7	4	1	9	6	5	8	2
5	9	1	8	2	7	3	6	4
8	6	2	3	5	4	7	9	1
1	8	6	7	4	3	9	2	5
2	4	9	5	8	1	6	7	3
7	5	3	9	6	2	4	1	8

169

9	3	2	5	7	4	6	1	8
1	6	5	3	9	8	4	2	7
4	7	8	6	1	2	5	3	9
7	8	6	9	4	1	2	5	3
3	4	9	2	6	5	8	7	1
2	5	1	7	8	3	9	4	6
5	9	7	1	2	6	3	8	4
8	1	3	4	5	9	7	6	2
6	2	4	8	3	7	1	9	5

170

2	8	4	1	5	7	6	3	9
7	1	9	4	6	3	8	2	5
6	3	5	2	9	8	7	1	4
4	9	2	3	8	6	5	7	1
1	6	7	5	2	9	3	4	8
3	5	8	7	4	1	9	6	2
9	4	3	6	1	5	2	8	7
5	7	1	8	3	2	4	9	6
8	2	6	9	7	4	1	5	3

171

8	2	1	3	5	9	7	4	6
9	4	7	6	1	2	8	3	5
6	5	3	8	7	4	9	2	1
7	1	6	2	9	8	3	5	4
2	3	5	7	4	1	6	9	8
4	9	8	5	6	3	2	1	7
3	6	2	4	8	5	1	7	9
5	7	9	1	3	6	4	8	2
1	8	4	9	2	7	5	6	3

172

4	8	7	1	2	3	9	5	6
9	6	2	5	8	7	1	3	4
1	5	3	4	9	6	8	7	2
6	3	4	9	1	5	7	2	8
8	7	1	2	3	4	5	6	9
2	9	5	7	6	8	4	1	3
5	1	6	8	4	2	3	9	7
3	4	9	6	7	1	2	8	5
7	2	8	3	5	9	6	4	1

173

6	4	5	9	2	1	8	3	7
8	3	9	6	7	5	4	1	2
7	1	2	3	4	8	9	6	5
1	8	4	2	3	7	5	9	6
3	9	6	5	8	4	2	7	1
5	2	7	1	6	9	3	4	8
9	7	3	8	1	2	6	5	4
4	6	8	7	5	3	1	2	9
2	5	1	4	9	6	7	8	3

174

6	3	7	2	8	9	5	1	4
1	8	4	3	7	5	9	2	6
2	5	9	1	4	6	3	7	8
7	4	8	9	6	2	1	3	5
5	2	1	4	3	8	6	9	7
3	9	6	5	1	7	4	8	2
4	7	5	8	9	3	2	6	1
8	1	3	6	2	4	7	5	9
9	6	2	7	5	1	8	4	3

175

4	1	2	3	5	7	8	9	6
6	5	9	4	2	8	3	1	7
8	7	3	9	1	6	4	5	2
7	9	6	5	3	4	2	8	1
5	2	4	6	8	1	7	3	9
3	8	1	2	7	9	5	6	4
2	6	5	1	4	3	9	7	8
9	4	8	7	6	5	1	2	3
1	3	7	8	9	2	6	4	5

176

4	1	6	8	7	9	3	5	2
3	8	2	5	6	1	7	4	9
9	5	7	3	2	4	8	1	6
7	6	9	1	3	2	5	8	4
5	2	3	4	8	6	1	9	7
1	4	8	9	5	7	6	2	3
2	3	4	6	1	8	9	7	5
8	7	5	2	9	3	4	6	1
6	9	1	7	4	5	2	3	8

177

6	8	7	5	4	9	2	1	3
5	3	1	6	7	2	4	9	8
9	4	2	8	1	3	5	7	6
1	6	5	7	2	4	3	8	9
3	7	4	9	6	8	1	5	2
2	9	8	3	5	1	7	6	4
8	5	3	4	9	7	6	2	1
4	2	6	1	8	5	9	3	7
7	1	9	2	3	6	8	4	5

178

4	8	5	3	2	9	6	1	7
7	1	9	5	8	6	3	4	2
3	6	2	4	1	7	9	5	8
9	5	4	7	6	2	8	3	1
8	2	3	9	5	1	7	6	4
6	7	1	8	3	4	2	9	5
1	3	6	2	7	5	4	8	9
2	9	8	1	4	3	5	7	6
5	4	7	6	9	8	1	2	3

179

4	7	5	1	2	9	3	6	8
9	2	6	8	3	7	1	5	4
8	3	1	5	6	4	2	9	7
6	8	7	4	9	1	5	2	3
1	5	4	2	7	3	6	8	9
3	9	2	6	8	5	4	7	1
5	6	3	7	4	8	9	1	2
7	1	9	3	5	2	8	4	6
2	4	8	9	1	6	7	3	5

180

1	2	8	4	3	5	7	9	6
3	4	7	9	6	2	5	1	8
6	9	5	7	8	1	4	3	2
5	3	9	8	7	4	6	2	1
7	1	4	3	2	6	8	5	9
2	8	6	1	5	9	3	4	7
8	5	1	6	9	3	2	7	4
4	7	3	2	1	8	9	6	5
9	6	2	5	4	7	1	8	3

181

6	8	1	9	7	5	2	3	4
3	2	5	8	4	1	7	9	6
9	7	4	3	6	2	5	1	8
5	1	7	2	3	6	8	4	9
8	6	9	1	5	4	3	7	2
4	3	2	7	9	8	1	6	5
2	9	8	6	1	7	4	5	3
7	4	6	5	2	3	9	8	1
1	5	3	4	8	9	6	2	7

182

3	8	2	1	6	7	5	4	9
6	4	7	5	2	9	8	1	3
1	5	9	4	3	8	7	2	6
7	1	8	3	5	6	2	9	4
2	3	4	9	7	1	6	5	8
9	6	5	8	4	2	3	7	1
5	2	1	6	9	3	4	8	7
4	9	6	7	8	5	1	3	2
8	7	3	2	1	4	9	6	5

183

5	3	1	9	7	4	6	2	8
4	9	8	1	2	6	7	3	5
7	6	2	5	8	3	1	9	4
8	4	6	7	1	2	3	5	9
3	2	5	8	6	9	4	7	1
9	1	7	4	3	5	2	8	6
1	7	4	2	5	8	9	6	3
6	5	9	3	4	7	8	1	2
2	8	3	6	9	1	5	4	7

184

5	2	1	3	7	4	6	9	8
8	4	7	1	6	9	5	3	2
6	9	3	5	2	8	7	1	4
4	3	6	9	5	7	2	8	1
7	1	2	4	8	3	9	5	6
9	8	5	2	1	6	3	4	7
3	7	9	6	4	1	8	2	5
1	5	8	7	3	2	4	6	9
2	6	4	8	9	5	1	7	3

185

9	2	7	4	6	1	5	8	3
8	5	6	2	3	9	7	4	1
1	3	4	7	8	5	2	9	6
2	4	8	9	7	6	1	3	5
5	7	3	1	2	4	8	6	9
6	1	9	3	5	8	4	2	7
4	6	2	5	9	7	3	1	8
7	8	1	6	4	3	9	5	2
3	9	5	8	1	2	6	7	4

186

5	8	7	4	2	6	3	9	1
4	1	2	8	3	9	5	6	7
3	6	9	7	1	5	8	2	4
9	7	6	1	5	4	2	3	8
2	4	8	9	7	3	6	1	5
1	3	5	6	8	2	7	4	9
6	5	1	2	4	7	9	8	3
8	2	3	5	9	1	4	7	6
7	9	4	3	6	8	1	5	2

187

5	9	3	4	1	2	7	8	6
2	6	1	9	8	7	5	3	4
8	4	7	6	3	5	2	1	9
4	5	6	8	7	1	3	9	2
9	1	2	5	4	3	8	6	7
3	7	8	2	9	6	1	4	5
7	3	4	1	5	9	6	2	8
6	8	5	3	2	4	9	7	1
1	2	9	7	6	8	4	5	3

188

4	2	3	5	1	7	9	8	6
9	5	6	2	4	8	1	7	3
7	8	1	9	3	6	4	5	2
5	7	4	6	9	2	3	1	8
1	9	8	3	5	4	2	6	7
3	6	2	8	7	1	5	9	4
2	3	9	7	6	5	8	4	1
6	4	5	1	8	3	7	2	9
8	1	7	4	2	9	6	3	5

189

2	9	1	5	4	6	3	8	7
8	5	6	1	7	3	2	4	9
4	7	3	8	9	2	6	1	5
7	8	2	3	1	9	4	5	6
6	1	5	4	2	7	8	9	3
3	4	9	6	5	8	7	2	1
5	3	8	9	6	4	1	7	2
9	6	7	2	8	1	5	3	4
1	2	4	7	3	5	9	6	8

190

1	6	9	8	7	5	2	4	3
4	2	5	6	3	9	1	7	8
8	7	3	1	4	2	5	6	9
2	3	1	5	6	7	8	9	4
7	5	4	9	8	3	6	2	1
6	9	8	2	1	4	3	5	7
5	1	7	3	9	6	4	8	2
9	8	2	4	5	1	7	3	6
3	4	6	7	2	8	9	1	5

191

1	6	9	2	8	3	7	4	5
2	8	4	7	5	1	3	6	9
5	3	7	9	6	4	8	2	1
3	1	6	8	4	9	2	5	7
8	4	5	1	2	7	9	3	6
9	7	2	6	3	5	4	1	8
7	9	3	5	1	2	6	8	4
4	5	8	3	9	6	1	7	2
6	2	1	4	7	8	5	9	3

192

6	9	3	7	2	4	8	5	1
8	4	7	9	5	1	6	2	3
5	1	2	8	6	3	9	7	4
1	3	8	6	7	5	4	9	2
4	2	5	3	1	9	7	6	8
9	7	6	4	8	2	1	3	5
7	5	9	1	3	8	2	4	6
3	8	4	2	9	6	5	1	7
2	6	1	5	4	7	3	8	9

193

4	5	9	8	1	6	2	7	3
8	1	6	2	3	7	4	9	5
3	7	2	4	5	9	8	1	6
7	6	1	9	8	5	3	4	2
5	3	4	1	6	2	7	8	9
2	9	8	7	4	3	6	5	1
6	4	7	3	9	1	5	2	8
1	2	5	6	7	8	9	3	4
9	8	3	5	2	4	1	6	7

194

9	5	1	2	4	7	8	6	3
4	3	2	1	6	8	7	9	5
7	6	8	9	5	3	2	1	4
2	9	6	8	3	4	1	5	7
8	7	4	5	2	1	9	3	6
3	1	5	6	7	9	4	8	2
6	4	9	7	1	5	3	2	8
5	8	7	3	9	2	6	4	1
1	2	3	4	8	6	5	7	9

195

3	7	2	4	1	8	6	9	5
6	9	8	5	3	7	4	1	2
4	5	1	6	2	9	7	3	8
8	6	3	9	4	2	5	7	1
1	4	7	8	5	6	3	2	9
9	2	5	1	7	3	8	6	4
2	3	4	7	8	1	9	5	6
5	1	6	3	9	4	2	8	7
7	8	9	2	6	5	1	4	3

196

3	6	9	2	5	8	4	1	7
5	4	2	7	9	1	8	3	6
7	1	8	6	4	3	2	9	5
4	7	6	9	3	2	1	5	8
8	3	5	4	1	7	6	2	9
9	2	1	8	6	5	7	4	3
1	9	4	3	8	6	5	7	2
6	5	7	1	2	9	3	8	4
2	8	3	5	7	4	9	6	1

197

7	2	1	8	9	5	3	6	4
9	8	3	4	7	6	2	1	5
5	6	4	1	2	3	8	9	7
4	1	2	5	3	7	6	8	9
3	5	6	9	4	8	7	2	1
8	9	7	2	6	1	4	5	3
6	4	5	7	1	2	9	3	8
1	3	9	6	8	4	5	7	2
2	7	8	3	5	9	1	4	6

198

6	5	9	8	1	4	3	2	7
8	7	1	3	2	6	5	4	9
2	3	4	7	9	5	8	6	1
3	4	8	2	6	7	9	1	5
9	1	2	4	5	3	7	8	6
7	6	5	1	8	9	2	3	4
5	9	3	6	4	8	1	7	2
4	2	7	9	3	1	6	5	8
1	8	6	5	7	2	4	9	3

199

7	2	3	9	4	8	1	6	5
6	1	9	2	5	7	3	4	8
4	5	8	1	6	3	7	2	9
1	9	5	6	7	4	8	3	2
2	8	7	3	9	5	4	1	6
3	4	6	8	2	1	9	5	7
9	7	4	5	1	6	2	8	3
8	6	2	4	3	9	5	7	1
5	3	1	7	8	2	6	9	4

200

3	5	9	1	6	8	2	7	4
7	4	6	3	2	5	8	1	9
1	8	2	9	7	4	5	3	6
9	7	8	4	5	1	6	2	3
6	2	3	7	8	9	4	5	1
4	1	5	2	3	6	9	8	7
5	9	4	8	1	3	7	6	2
8	3	7	6	9	2	1	4	5
2	6	1	5	4	7	3	9	8

201

9	7	6	8	2	4	5	3	1
3	8	4	1	5	9	6	2	7
1	5	2	6	7	3	8	9	4
2	4	1	7	3	5	9	6	8
7	9	5	2	6	8	4	1	3
6	3	8	4	9	1	7	5	2
8	2	3	5	4	6	1	7	9
4	6	9	3	1	7	2	8	5
5	1	7	9	8	2	3	4	6

202

7	3	1	9	8	2	4	6	5
9	8	6	4	5	7	2	1	3
5	2	4	6	3	1	9	8	7
3	9	8	2	7	4	6	5	1
1	6	2	8	9	5	7	3	4
4	5	7	3	1	6	8	2	9
6	4	5	1	2	9	3	7	8
8	1	9	7	6	3	5	4	2
2	7	3	5	4	8	1	9	6

203

5	6	8	4	9	2	3	1	7
1	9	3	8	5	7	2	6	4
7	4	2	3	6	1	8	5	9
2	7	1	6	4	8	5	9	3
6	5	4	9	2	3	7	8	1
3	8	9	1	7	5	4	2	6
9	3	5	2	1	4	6	7	8
4	1	7	5	8	6	9	3	2
8	2	6	7	3	9	1	4	5

204

1	7	3	4	9	8	5	2	6
9	5	6	2	7	3	8	4	1
2	8	4	5	1	6	3	7	9
3	6	9	7	8	1	4	5	2
7	1	5	3	2	4	6	9	8
4	2	8	6	5	9	7	1	3
5	3	2	1	6	7	9	8	4
6	9	1	8	4	5	2	3	7
8	4	7	9	3	2	1	6	5

205

5	7	8	1	4	2	6	9	3
3	4	9	7	6	5	1	2	8
2	6	1	9	8	3	4	5	7
8	9	7	2	1	4	5	3	6
6	3	2	8	5	9	7	4	1
1	5	4	3	7	6	2	8	9
9	1	5	4	3	7	8	6	2
7	2	6	5	9	8	3	1	4
4	8	3	6	2	1	9	7	5

206

6	9	5	7	2	1	8	4	3
4	8	2	5	3	9	6	1	7
1	7	3	8	6	4	2	9	5
9	4	8	2	5	7	1	3	6
3	5	6	9	1	8	4	7	2
7	2	1	6	4	3	9	5	8
2	6	7	4	9	5	3	8	1
8	3	9	1	7	2	5	6	4
5	1	4	3	8	6	7	2	9

207

7	1	6	3	2	5	8	4	9
4	2	5	8	6	9	3	1	7
8	9	3	1	7	4	2	6	5
5	3	9	2	4	7	6	8	1
2	7	1	6	5	8	9	3	4
6	8	4	9	1	3	5	7	2
3	5	8	7	9	1	4	2	6
9	6	7	4	8	2	1	5	3
1	4	2	5	3	6	7	9	8

208

1	8	9	6	3	7	2	4	5
2	7	6	4	8	5	3	9	1
3	5	4	9	2	1	6	7	8
9	3	5	7	6	4	1	8	2
4	1	2	8	5	3	9	6	7
8	6	7	2	1	9	4	5	3
5	2	8	1	9	6	7	3	4
7	9	1	3	4	8	5	2	6
6	4	3	5	7	2	8	1	9

209

7	5	1	3	2	8	4	9	6
9	6	2	5	7	4	3	1	8
3	4	8	1	6	9	2	5	7
5	8	7	4	9	3	1	6	2
6	3	9	7	1	2	8	4	5
1	2	4	8	5	6	7	3	9
4	9	3	2	8	5	6	7	1
8	1	6	9	3	7	5	2	4
2	7	5	6	4	1	9	8	3

210

3	2	4	1	6	8	5	7	9
8	5	6	7	3	9	2	1	4
1	9	7	5	2	4	6	8	3
4	6	1	8	7	3	9	5	2
9	8	5	4	1	2	3	6	7
7	3	2	9	5	6	8	4	1
2	1	3	6	4	5	7	9	8
6	7	9	3	8	1	4	2	5
5	4	8	2	9	7	1	3	6

211

6	8	5	1	2	7	9	3	4
9	1	2	4	5	3	6	7	8
7	4	3	8	6	9	1	2	5
4	9	6	2	3	1	5	8	7
2	3	8	7	9	5	4	1	6
1	5	7	6	4	8	3	9	2
3	2	9	5	7	4	8	6	1
8	6	4	3	1	2	7	5	9
5	7	1	9	8	6	2	4	3

212

6	9	4	1	7	8	2	5	3
5	2	7	4	6	3	1	8	9
8	1	3	2	5	9	6	7	4
3	5	2	7	9	4	8	1	6
4	8	9	6	1	5	7	3	2
7	6	1	8	3	2	9	4	5
1	4	5	9	2	7	3	6	8
9	7	8	3	4	6	5	2	1
2	3	6	5	8	1	4	9	7

213

9	4	6	1	8	3	7	5	2
1	5	7	2	9	4	6	3	8
2	8	3	6	5	7	1	9	4
8	6	1	7	2	9	3	4	5
3	9	5	4	6	8	2	1	7
4	7	2	5	3	1	9	8	6
6	2	4	3	1	5	8	7	9
7	1	8	9	4	6	5	2	3
5	3	9	8	7	2	4	6	1

214

3	2	8	9	5	1	4	7	6
7	5	4	3	8	6	1	2	9
1	6	9	4	2	7	3	5	8
9	3	2	8	1	5	6	4	7
4	7	5	6	3	2	9	8	1
8	1	6	7	4	9	5	3	2
6	4	7	2	9	3	8	1	5
5	9	3	1	7	8	2	6	4
2	8	1	5	6	4	7	9	3

215

5	7	8	6	3	4	2	1	9
1	6	3	9	8	2	5	7	4
4	2	9	1	5	7	3	6	8
6	9	1	3	7	8	4	2	5
3	8	4	5	2	1	6	9	7
7	5	2	4	6	9	8	3	1
9	1	5	2	4	6	7	8	3
2	3	7	8	9	5	1	4	6
8	4	6	7	1	3	9	5	2

216

1	4	6	5	3	8	9	2	7
5	8	7	1	9	2	3	6	4
3	9	2	4	6	7	1	8	5
7	6	3	8	2	9	5	4	1
8	2	1	3	4	5	7	9	6
4	5	9	6	7	1	2	3	8
2	3	5	7	8	4	6	1	9
6	7	8	9	1	3	4	5	2
9	1	4	2	5	6	8	7	3

217

6	5	2	7	1	4	3	8	9
3	8	4	2	5	9	1	6	7
9	7	1	6	8	3	2	4	5
4	6	3	8	7	1	5	9	2
1	2	8	9	4	5	6	7	3
7	9	5	3	6	2	8	1	4
8	3	6	4	2	7	9	5	1
2	1	7	5	9	8	4	3	6
5	4	9	1	3	6	7	2	8

218

6	9	3	1	2	8	5	7	4
7	1	5	3	6	4	8	2	9
4	8	2	5	9	7	3	1	6
2	5	8	7	1	9	6	4	3
1	3	4	6	8	5	7	9	2
9	7	6	2	4	3	1	5	8
8	6	1	9	7	2	4	3	5
3	4	9	8	5	1	2	6	7
5	2	7	4	3	6	9	8	1

219

8	6	5	9	7	2	4	3	1
7	1	4	5	6	3	8	2	9
3	9	2	1	4	8	6	7	5
5	4	3	8	9	1	2	6	7
1	7	9	3	2	6	5	4	8
6	2	8	4	5	7	9	1	3
9	5	6	7	3	4	1	8	2
2	8	7	6	1	9	3	5	4
4	3	1	2	8	5	7	9	6

220

9	2	1	3	5	6	4	7	8
3	8	6	4	2	7	1	9	5
5	7	4	8	1	9	3	6	2
1	3	5	7	6	4	2	8	9
6	9	2	1	3	8	5	4	7
7	4	8	2	9	5	6	1	3
8	1	7	5	4	2	9	3	6
2	6	3	9	8	1	7	5	4
4	5	9	6	7	3	8	2	1

221

9	6	1	8	4	3	7	2	5
8	4	3	2	7	5	1	6	9
7	2	5	1	9	6	3	4	8
2	5	9	4	6	7	8	3	1
1	3	6	9	8	2	5	7	4
4	8	7	5	3	1	2	9	6
6	9	2	7	5	8	4	1	3
5	1	4	3	2	9	6	8	7
3	7	8	6	1	4	9	5	2

222

9	8	7	4	6	1	3	2	5
5	3	1	2	9	8	4	6	7
2	4	6	5	7	3	9	8	1
7	5	2	1	8	9	6	3	4
1	9	4	3	2	6	7	5	8
8	6	3	7	5	4	1	9	2
6	7	8	9	1	2	5	4	3
3	1	9	8	4	5	2	7	6
4	2	5	6	3	7	8	1	9

223

2	8	9	5	7	4	1	3	6
1	3	4	6	2	8	5	9	7
6	5	7	3	1	9	8	2	4
8	7	5	9	4	1	2	6	3
4	1	6	2	3	7	9	5	8
9	2	3	8	6	5	7	4	1
5	4	8	1	9	3	6	7	2
7	6	1	4	5	2	3	8	9
3	9	2	7	8	6	4	1	5

224

8	4	3	5	7	9	2	6	1
5	7	6	3	1	2	4	8	9
1	2	9	6	8	4	5	3	7
4	3	7	2	9	8	6	1	5
6	5	8	4	3	1	9	7	2
9	1	2	7	5	6	8	4	3
7	6	4	1	2	5	3	9	8
3	8	5	9	4	7	1	2	6
2	9	1	8	6	3	7	5	4

225

7	3	2	9	4	5	6	8	1
6	5	4	1	3	8	7	9	2
1	8	9	7	2	6	3	4	5
4	6	3	2	1	9	5	7	8
2	1	7	5	8	4	9	6	3
8	9	5	6	7	3	1	2	4
9	4	8	3	6	1	2	5	7
5	2	1	8	9	7	4	3	6
3	7	6	4	5	2	8	1	9

226

1	9	8	4	2	6	3	7	5
4	5	6	8	3	7	1	2	9
7	2	3	1	5	9	6	8	4
2	7	1	5	8	4	9	6	3
8	4	5	6	9	3	2	1	7
6	3	9	7	1	2	5	4	8
5	6	2	9	4	8	7	3	1
3	1	4	2	7	5	8	9	6
9	8	7	3	6	1	4	5	2

227

3	7	5	8	9	2	6	4	1
6	2	1	4	5	3	7	8	9
4	9	8	7	6	1	2	3	5
8	4	7	3	2	5	9	1	6
9	6	3	1	7	8	4	5	2
5	1	2	6	4	9	8	7	3
7	5	4	2	1	6	3	9	8
2	3	9	5	8	4	1	6	7
1	8	6	9	3	7	5	2	4

228

4	6	3	9	8	1	5	2	7
2	8	1	5	7	4	3	6	9
5	9	7	2	6	3	4	8	1
3	1	5	8	9	6	2	7	4
6	7	2	1	4	5	8	9	3
9	4	8	7	3	2	6	1	5
7	2	6	3	5	9	1	4	8
8	3	4	6	1	7	9	5	2
1	5	9	4	2	8	7	3	6

229

6	3	9	1	2	4	5	8	7
8	7	4	3	5	9	6	1	2
1	5	2	7	6	8	9	3	4
5	8	6	4	3	2	1	7	9
9	2	3	5	7	1	4	6	8
7	4	1	8	9	6	2	5	3
3	6	5	2	4	7	8	9	1
4	1	7	9	8	5	3	2	6
2	9	8	6	1	3	7	4	5

230

7	5	1	6	2	3	4	8	9
9	3	2	4	5	8	1	7	6
8	4	6	7	9	1	5	3	2
4	9	5	8	3	7	2	6	1
2	6	8	9	1	4	7	5	3
1	7	3	2	6	5	9	4	8
6	1	4	5	8	9	3	2	7
3	2	7	1	4	6	8	9	5
5	8	9	3	7	2	6	1	4

231

9	6	2	8	4	7	3	5	1
7	1	3	9	5	6	8	4	2
8	4	5	1	3	2	6	9	7
2	7	1	3	6	9	5	8	4
5	8	6	4	7	1	9	2	3
4	3	9	2	8	5	7	1	6
6	9	4	7	2	8	1	3	5
1	2	7	5	9	3	4	6	8
3	5	8	6	1	4	2	7	9

232

8	5	4	2	9	7	1	6	3
3	2	1	5	6	8	7	4	9
6	7	9	1	4	3	5	8	2
1	6	8	4	3	2	9	5	7
7	3	5	9	8	6	2	1	4
4	9	2	7	5	1	8	3	6
5	4	7	6	1	9	3	2	8
2	1	3	8	7	4	6	9	5
9	8	6	3	2	5	4	7	1

233

4	2	6	7	5	9	8	1	3
5	9	1	8	2	3	4	7	6
7	3	8	6	1	4	5	2	9
3	5	9	2	8	1	6	4	7
1	4	7	9	6	5	3	8	2
6	8	2	3	4	7	1	9	5
8	6	3	1	7	2	9	5	4
2	1	4	5	9	6	7	3	8
9	7	5	4	3	8	2	6	1

234

4	1	6	7	8	3	5	9	2
5	2	8	9	1	4	6	7	3
7	3	9	5	6	2	4	1	8
1	8	2	6	3	9	7	4	5
3	9	7	4	5	8	1	2	6
6	5	4	2	7	1	3	8	9
8	7	1	3	2	5	9	6	4
9	6	5	8	4	7	2	3	1
2	4	3	1	9	6	8	5	7

235

8	2	5	4	7	3	9	6	1
7	3	9	5	1	6	8	2	4
6	1	4	8	2	9	3	7	5
2	7	6	3	8	1	4	5	9
4	5	3	7	9	2	1	8	6
1	9	8	6	4	5	2	3	7
9	6	1	2	5	8	7	4	3
3	8	7	1	6	4	5	9	2
5	4	2	9	3	7	6	1	8

236

8	7	1	6	9	2	4	5	3
6	3	5	1	7	4	8	2	9
2	4	9	3	5	8	6	1	7
5	1	8	4	2	9	7	3	6
7	6	2	8	3	1	5	9	4
3	9	4	5	6	7	2	8	1
9	2	3	7	8	6	1	4	5
4	5	7	2	1	3	9	6	8
1	8	6	9	4	5	3	7	2

237

1	6	4	9	5	8	2	3	7
9	8	7	2	3	6	4	5	1
3	5	2	7	4	1	9	8	6
8	9	1	6	2	3	7	4	5
5	2	6	4	9	7	8	1	3
4	7	3	1	8	5	6	2	9
2	1	9	3	7	4	5	6	8
6	4	5	8	1	9	3	7	2
7	3	8	5	6	2	1	9	4

238

1	4	6	9	5	3	7	8	2
2	9	3	1	8	7	4	5	6
5	7	8	4	6	2	3	1	9
7	5	1	2	3	4	6	9	8
8	6	9	7	1	5	2	4	3
4	3	2	6	9	8	5	7	1
6	8	4	5	2	1	9	3	7
9	1	7	3	4	6	8	2	5
3	2	5	8	7	9	1	6	4

239

7	5	1	4	2	8	3	6	9
2	9	8	6	1	3	5	4	7
6	3	4	9	7	5	1	2	8
9	7	5	3	6	2	8	1	4
8	4	6	5	9	1	2	7	3
3	1	2	7	8	4	6	9	5
1	2	7	8	3	9	4	5	6
5	8	9	1	4	6	7	3	2
4	6	3	2	5	7	9	8	1

240

2	4	1	6	8	5	9	7	3
7	5	3	9	1	4	6	8	2
9	6	8	3	2	7	1	5	4
3	2	6	5	9	1	8	4	7
8	1	9	4	7	2	5	3	6
5	7	4	8	6	3	2	1	9
1	9	5	7	4	6	3	2	8
6	3	7	2	5	8	4	9	1
4	8	2	1	3	9	7	6	5

241

3	5	1	7	9	2	8	6	4
6	9	4	8	5	1	2	3	7
8	2	7	4	6	3	5	9	1
5	8	6	2	1	9	4	7	3
4	1	2	3	8	7	6	5	9
7	3	9	6	4	5	1	2	8
9	6	5	1	7	8	3	4	2
1	4	3	9	2	6	7	8	5
2	7	8	5	3	4	9	1	6

242

4	3	1	6	9	8	7	2	5
2	7	6	3	5	1	4	8	9
9	5	8	2	7	4	6	3	1
5	1	2	4	3	6	8	9	7
8	9	4	7	1	2	3	5	6
7	6	3	9	8	5	1	4	2
6	4	9	1	2	3	5	7	8
3	8	7	5	6	9	2	1	4
1	2	5	8	4	7	9	6	3

243

3	2	6	1	9	5	7	4	8
9	8	7	4	2	6	5	1	3
4	5	1	3	7	8	6	9	2
7	3	5	2	6	4	9	8	1
2	6	8	9	1	3	4	5	7
1	9	4	8	5	7	2	3	6
8	7	2	5	4	1	3	6	9
6	4	3	7	8	9	1	2	5
5	1	9	6	3	2	8	7	4

244

6	8	4	1	7	3	9	2	5
7	1	5	2	8	9	3	4	6
9	3	2	5	6	4	7	1	8
2	6	9	4	1	7	8	5	3
1	5	7	8	3	2	6	9	4
3	4	8	6	9	5	2	7	1
4	9	1	3	2	8	5	6	7
5	2	3	7	4	6	1	8	9
8	7	6	9	5	1	4	3	2

245

3	5	6	7	9	2	4	8	1
9	4	1	8	5	6	2	7	3
8	2	7	3	4	1	6	9	5
1	3	8	2	7	4	9	5	6
7	9	5	6	3	8	1	4	2
2	6	4	5	1	9	8	3	7
4	7	2	9	6	3	5	1	8
5	8	9	1	2	7	3	6	4
6	1	3	4	8	5	7	2	9

246

2	9	6	4	3	5	7	8	1
5	7	8	9	1	6	3	2	4
1	3	4	7	8	2	5	6	9
3	5	7	1	6	8	9	4	2
8	4	2	3	7	9	1	5	6
9	6	1	5	2	4	8	7	3
4	8	5	2	9	3	6	1	7
6	1	3	8	4	7	2	9	5
7	2	9	6	5	1	4	3	8

247

5	8	1	4	9	6	7	3	2
3	9	4	7	8	2	1	6	5
7	2	6	5	1	3	4	9	8
4	3	7	8	2	5	6	1	9
8	1	5	9	6	7	3	2	4
2	6	9	1	3	4	8	5	7
1	4	3	2	7	9	5	8	6
9	7	8	6	5	1	2	4	3
6	5	2	3	4	8	9	7	1

248

2	3	1	9	7	5	8	6	4
6	7	8	1	4	2	5	9	3
5	4	9	3	6	8	7	2	1
9	6	4	2	8	1	3	7	5
7	2	3	6	5	4	9	1	8
1	8	5	7	9	3	2	4	6
8	5	7	4	2	6	1	3	9
4	1	2	8	3	9	6	5	7
3	9	6	5	1	7	4	8	2

249

5	2	7	9	6	3	8	1	4
9	1	6	4	8	2	3	7	5
4	8	3	7	5	1	2	6	9
1	4	8	5	3	7	9	2	6
6	3	9	2	1	8	5	4	7
7	5	2	6	9	4	1	3	8
2	9	5	1	7	6	4	8	3
8	6	1	3	4	5	7	9	2
3	7	4	8	2	9	6	5	1

250

2	4	6	1	7	5	9	8	3
1	8	7	3	2	9	5	4	6
9	3	5	6	8	4	7	2	1
5	1	3	9	6	2	8	7	4
7	9	4	8	1	3	2	6	5
6	2	8	5	4	7	1	3	9
3	7	2	4	9	1	6	5	8
4	6	9	7	5	8	3	1	2
8	5	1	2	3	6	4	9	7

251

4	6	8	5	9	7	1	2	3
3	5	9	4	2	1	7	8	6
2	7	1	6	8	3	4	5	9
8	4	6	2	1	9	5	3	7
7	1	3	8	5	6	9	4	2
9	2	5	7	3	4	8	6	1
6	3	4	9	7	5	2	1	8
5	8	7	1	6	2	3	9	4
1	9	2	3	4	8	6	7	5

252

9	1	2	3	7	6	5	8	4
4	5	7	8	2	1	9	6	3
8	3	6	4	9	5	7	2	1
7	2	3	9	6	4	1	5	8
1	4	9	5	8	7	2	3	6
6	8	5	1	3	2	4	7	9
2	9	1	6	5	3	8	4	7
5	6	8	7	4	9	3	1	2
3	7	4	2	1	8	6	9	5

253

8	9	1	3	6	2	4	7	5
6	5	3	7	8	4	2	1	9
7	4	2	9	1	5	3	8	6
2	7	8	1	5	6	9	4	3
4	3	5	2	9	7	8	6	1
1	6	9	8	4	3	7	5	2
5	8	6	4	3	9	1	2	7
3	1	7	6	2	8	5	9	4
9	2	4	5	7	1	6	3	8

254

1	8	5	6	3	4	7	9	2
4	7	2	5	9	8	1	6	3
3	9	6	1	2	7	8	4	5
7	5	3	8	6	1	4	2	9
8	4	9	2	7	5	6	3	1
2	6	1	3	4	9	5	8	7
6	3	8	7	1	2	9	5	4
5	1	4	9	8	3	2	7	6
9	2	7	4	5	6	3	1	8

255

8	2	1	5	9	4	7	6	3
3	6	5	8	7	1	2	9	4
9	7	4	2	6	3	1	5	8
2	4	3	1	8	9	5	7	6
6	8	7	4	2	5	3	1	9
5	1	9	7	3	6	8	4	2
1	5	8	6	4	2	9	3	7
7	9	6	3	5	8	4	2	1
4	3	2	9	1	7	6	8	5

256

4	6	9	1	3	7	8	2	5
5	7	8	9	2	6	1	3	4
2	3	1	4	8	5	9	6	7
6	1	2	3	9	4	5	7	8
9	8	5	7	6	2	4	1	3
3	4	7	5	1	8	2	9	6
7	2	4	6	5	1	3	8	9
8	9	6	2	4	3	7	5	1
1	5	3	8	7	9	6	4	2

257

7	8	6	3	9	1	2	5	4
2	9	4	7	6	5	3	1	8
1	3	5	2	4	8	6	7	9
9	7	1	8	3	6	4	2	5
6	2	3	9	5	4	1	8	7
5	4	8	1	7	2	9	6	3
4	5	2	6	8	9	7	3	1
8	1	7	4	2	3	5	9	6
3	6	9	5	1	7	8	4	2

258

9	6	8	1	3	2	7	5	4
4	5	7	8	9	6	2	1	3
2	3	1	7	5	4	9	8	6
6	7	4	9	1	5	3	2	8
5	8	2	6	4	3	1	9	7
1	9	3	2	8	7	4	6	5
8	4	6	3	2	1	5	7	9
3	2	9	5	7	8	6	4	1
7	1	5	4	6	9	8	3	2

259

4	5	1	3	8	9	7	2	6
6	9	8	2	7	5	3	4	1
2	3	7	4	6	1	9	8	5
1	2	5	8	9	3	4	6	7
8	4	3	7	2	6	5	1	9
7	6	9	5	1	4	2	3	8
3	7	2	1	5	8	6	9	4
5	8	6	9	4	2	1	7	3
9	1	4	6	3	7	8	5	2

260

3	9	6	1	5	8	2	4	7
7	8	2	4	3	6	9	5	1
4	1	5	9	2	7	3	6	8
9	2	7	5	4	1	6	8	3
1	3	8	6	9	2	4	7	5
6	5	4	7	8	3	1	2	9
8	6	3	2	1	5	7	9	4
2	4	1	8	7	9	5	3	6
5	7	9	3	6	4	8	1	2

261

5	1	6	3	2	4	8	9	7
3	4	8	6	7	9	2	5	1
7	2	9	8	5	1	3	6	4
6	9	5	7	4	3	1	8	2
2	8	7	1	9	6	4	3	5
4	3	1	5	8	2	6	7	9
9	7	4	2	3	8	5	1	6
1	5	3	4	6	7	9	2	8
8	6	2	9	1	5	7	4	3

262

3	5	8	2	7	6	4	9	1
4	6	1	8	3	9	7	5	2
2	9	7	4	5	1	8	6	3
7	2	6	9	1	3	5	8	4
9	4	3	6	8	5	2	1	7
1	8	5	7	2	4	9	3	6
8	1	4	3	9	2	6	7	5
6	3	9	5	4	7	1	2	8
5	7	2	1	6	8	3	4	9

263

7	2	5	6	9	8	4	1	3
3	6	8	1	2	4	5	7	9
4	1	9	3	7	5	6	8	2
6	5	7	9	1	3	2	4	8
2	8	3	5	4	6	1	9	7
1	9	4	2	8	7	3	6	5
8	3	1	7	6	2	9	5	4
5	4	6	8	3	9	7	2	1
9	7	2	4	5	1	8	3	6

264

3	1	9	7	5	8	2	4	6
6	4	2	3	1	9	7	8	5
7	8	5	2	6	4	1	3	9
2	3	7	9	8	5	6	1	4
8	9	1	4	2	6	5	7	3
4	5	6	1	7	3	9	2	8
9	7	8	5	3	1	4	6	2
5	2	3	6	4	7	8	9	1
1	6	4	8	9	2	3	5	7

265

5	8	2	4	9	1	3	7	6
7	4	1	6	3	5	8	2	9
6	3	9	2	7	8	1	5	4
9	7	3	1	4	6	5	8	2
1	5	8	9	2	3	6	4	7
2	6	4	5	8	7	9	3	1
3	2	7	8	1	9	4	6	5
8	1	5	7	6	4	2	9	3
4	9	6	3	5	2	7	1	8

266

5	2	6	3	8	4	7	9	1
8	1	3	9	7	6	2	5	4
4	9	7	2	5	1	8	6	3
3	4	1	6	9	2	5	8	7
7	5	2	1	3	8	6	4	9
9	6	8	7	4	5	3	1	2
2	7	5	8	1	9	4	3	6
6	8	9	4	2	3	1	7	5
1	3	4	5	6	7	9	2	8

267

6	9	7	8	2	5	3	1	4
3	8	1	6	9	4	7	2	5
5	2	4	3	7	1	9	8	6
4	6	9	7	8	3	1	5	2
8	3	5	9	1	2	4	6	7
1	7	2	4	5	6	8	9	3
2	4	8	5	3	9	6	7	1
7	5	3	1	6	8	2	4	9
9	1	6	2	4	7	5	3	8

268

5	9	6	7	8	3	2	4	1
2	1	8	4	6	9	3	7	5
4	7	3	1	2	5	9	8	6
3	4	2	6	9	7	1	5	8
7	8	1	5	3	4	6	2	9
6	5	9	8	1	2	4	3	7
9	3	7	2	5	6	8	1	4
1	6	5	3	4	8	7	9	2
8	2	4	9	7	1	5	6	3

269

7	1	5	4	2	8	6	9	3
2	9	6	5	3	7	8	1	4
8	4	3	9	1	6	7	2	5
4	6	8	1	7	9	5	3	2
3	2	1	6	4	5	9	7	8
5	7	9	3	8	2	1	4	6
9	5	2	7	6	3	4	8	1
1	8	7	2	5	4	3	6	9
6	3	4	8	9	1	2	5	7

270

8	5	1	3	6	7	9	4	2
2	9	6	5	4	1	7	8	3
7	3	4	2	9	8	5	6	1
9	8	3	6	2	4	1	7	5
6	7	2	1	8	5	3	9	4
4	1	5	9	7	3	6	2	8
5	6	7	4	1	2	8	3	9
1	4	8	7	3	9	2	5	6
3	2	9	8	5	6	4	1	7

271

3	6	1	5	9	8	2	7	4
4	8	5	7	3	2	1	9	6
7	9	2	4	6	1	5	3	8
1	4	3	8	7	9	6	2	5
8	5	7	6	2	3	4	1	9
9	2	6	1	4	5	7	8	3
2	1	9	3	5	4	8	6	7
6	3	4	2	8	7	9	5	1
5	7	8	9	1	6	3	4	2

272

5	9	8	6	7	3	2	4	1
7	4	2	1	5	8	3	6	9
6	1	3	4	9	2	5	8	7
3	8	9	2	6	7	1	5	4
2	5	6	3	1	4	7	9	8
4	7	1	9	8	5	6	2	3
9	2	7	8	3	6	4	1	5
8	6	5	7	4	1	9	3	2
1	3	4	5	2	9	8	7	6

273

1	7	5	3	9	2	6	4	8
2	4	3	6	5	8	7	1	9
6	8	9	1	7	4	2	3	5
4	3	6	7	8	5	9	2	1
8	5	2	4	1	9	3	6	7
7	9	1	2	3	6	8	5	4
9	6	8	5	2	1	4	7	3
5	2	7	8	4	3	1	9	6
3	1	4	9	6	7	5	8	2

274

3	7	6	1	4	5	8	2	9
1	9	4	2	6	8	5	3	7
8	5	2	7	3	9	6	1	4
6	2	3	4	1	7	9	8	5
7	4	8	9	5	3	2	6	1
9	1	5	6	8	2	7	4	3
4	8	1	5	9	6	3	7	2
5	6	7	3	2	1	4	9	8
2	3	9	8	7	4	1	5	6

275

3	8	7	5	2	1	6	4	9
9	5	6	3	7	4	8	1	2
1	2	4	9	8	6	5	7	3
7	6	5	2	4	8	3	9	1
8	4	1	6	3	9	2	5	7
2	3	9	7	1	5	4	6	8
5	1	3	4	9	2	7	8	6
4	9	2	8	6	7	1	3	5
6	7	8	1	5	3	9	2	4

276

6	7	3	9	4	8	5	1	2
5	9	2	6	1	3	7	8	4
1	4	8	7	5	2	6	3	9
7	1	4	3	9	6	8	2	5
8	2	6	4	7	5	3	9	1
9	3	5	8	2	1	4	6	7
2	8	7	5	6	9	1	4	3
4	6	1	2	3	7	9	5	8
3	5	9	1	8	4	2	7	6

277

4	8	6	5	9	3	7	2	1
1	9	5	2	7	4	6	3	8
7	3	2	1	6	8	4	9	5
3	2	1	7	4	5	9	8	6
5	7	4	9	8	6	2	1	3
9	6	8	3	1	2	5	7	4
2	1	3	6	5	9	8	4	7
8	5	9	4	3	7	1	6	2
6	4	7	8	2	1	3	5	9

278

8	6	7	1	2	5	3	9	4
3	4	2	6	9	8	1	5	7
1	9	5	3	4	7	6	2	8
7	1	6	8	3	9	5	4	2
9	3	4	2	5	6	8	7	1
5	2	8	7	1	4	9	3	6
2	7	1	9	8	3	4	6	5
6	5	9	4	7	1	2	8	3
4	8	3	5	6	2	7	1	9

279

5	2	4	6	8	7	9	1	3
8	7	3	5	9	1	4	2	6
6	1	9	4	2	3	5	7	8
1	9	2	7	6	5	8	3	4
4	5	6	1	3	8	7	9	2
3	8	7	9	4	2	6	5	1
2	4	1	8	5	9	3	6	7
9	3	8	2	7	6	1	4	5
7	6	5	3	1	4	2	8	9

280

4	8	6	1	5	3	7	9	2
1	5	9	2	8	7	6	4	3
7	3	2	9	4	6	1	5	8
5	2	8	3	7	9	4	6	1
9	4	1	6	2	8	5	3	7
3	6	7	4	1	5	8	2	9
8	1	4	5	9	2	3	7	6
2	7	3	8	6	4	9	1	5
6	9	5	7	3	1	2	8	4

281

7	9	3	6	2	1	8	5	4
8	1	4	9	3	5	6	7	2
5	6	2	7	8	4	1	9	3
4	5	9	3	6	2	7	8	1
2	8	7	1	4	9	5	3	6
1	3	6	5	7	8	4	2	9
6	7	1	8	9	3	2	4	5
3	2	5	4	1	7	9	6	8
9	4	8	2	5	6	3	1	7

282

7	9	1	4	2	3	5	6	8
6	3	5	9	7	8	4	2	1
2	8	4	5	1	6	9	3	7
5	7	9	1	3	4	2	8	6
3	4	8	6	9	2	1	7	5
1	2	6	8	5	7	3	9	4
9	1	3	7	6	5	8	4	2
8	5	7	2	4	9	6	1	3
4	6	2	3	8	1	7	5	9

283

3	2	9	8	7	6	5	1	4
7	4	6	1	2	5	3	8	9
1	5	8	4	9	3	2	7	6
6	7	4	2	1	9	8	5	3
2	8	1	5	3	4	9	6	7
5	9	3	7	6	8	4	2	1
8	3	7	6	4	2	1	9	5
9	1	2	3	5	7	6	4	8
4	6	5	9	8	1	7	3	2

284

7	3	9	6	1	8	2	4	5
2	1	4	9	3	5	6	8	7
8	5	6	7	2	4	3	1	9
5	4	7	1	6	2	8	9	3
6	8	1	3	4	9	7	5	2
9	2	3	5	8	7	4	6	1
4	9	2	8	5	3	1	7	6
1	7	8	2	9	6	5	3	4
3	6	5	4	7	1	9	2	8

285

8	4	7	6	9	2	3	1	5
1	5	2	3	8	7	4	9	6
3	9	6	4	5	1	8	7	2
7	6	8	2	1	3	9	5	4
9	2	4	5	7	8	1	6	3
5	3	1	9	6	4	7	2	8
2	8	9	1	3	6	5	4	7
4	1	3	7	2	5	6	8	9
6	7	5	8	4	9	2	3	1

286

8	7	1	3	2	5	4	9	6
5	3	6	4	9	8	7	1	2
2	9	4	6	7	1	8	3	5
6	2	9	8	5	7	1	4	3
1	4	8	9	6	3	2	5	7
7	5	3	1	4	2	6	8	9
9	6	5	7	8	4	3	2	1
3	8	7	2	1	9	5	6	4
4	1	2	5	3	6	9	7	8

287

1	8	4	6	5	7	9	2	3
7	6	9	2	3	1	5	8	4
5	3	2	9	8	4	6	1	7
3	9	1	5	6	8	7	4	2
8	4	5	1	7	2	3	6	9
2	7	6	3	4	9	1	5	8
9	5	7	8	2	6	4	3	1
4	2	3	7	1	5	8	9	6
6	1	8	4	9	3	2	7	5

288

3	2	1	6	7	4	5	8	9
7	8	6	9	1	5	3	4	2
5	9	4	8	3	2	6	1	7
4	5	2	3	6	1	7	9	8
6	7	3	4	8	9	1	2	5
8	1	9	5	2	7	4	6	3
2	6	7	1	5	8	9	3	4
1	4	8	7	9	3	2	5	6
9	3	5	2	4	6	8	7	1

289

7	8	3	1	5	4	9	2	6
9	5	4	2	6	7	3	1	8
6	2	1	9	3	8	5	7	4
1	7	9	8	4	3	6	5	2
3	6	8	5	2	1	4	9	7
5	4	2	6	7	9	8	3	1
4	1	5	7	9	6	2	8	3
8	9	6	3	1	2	7	4	5
2	3	7	4	8	5	1	6	9

290

8	3	4	5	1	6	9	2	7
1	7	6	4	9	2	3	8	5
9	5	2	7	8	3	4	6	1
6	1	5	2	4	8	7	9	3
7	2	9	6	3	5	1	4	8
3	4	8	9	7	1	6	5	2
2	9	3	8	6	7	5	1	4
5	6	7	1	2	4	8	3	9
4	8	1	3	5	9	2	7	6

291

8	9	5	1	2	4	7	3	6
3	7	4	5	6	9	2	1	8
1	2	6	7	3	8	9	4	5
7	5	3	6	1	2	4	8	9
9	6	1	4	8	3	5	2	7
4	8	2	9	7	5	3	6	1
2	3	7	8	5	6	1	9	4
5	4	8	2	9	1	6	7	3
6	1	9	3	4	7	8	5	2

292

7	3	8	4	1	5	2	6	9
4	9	6	7	8	2	1	5	3
1	5	2	9	6	3	4	7	8
3	2	7	5	4	6	9	8	1
8	4	1	2	7	9	5	3	6
9	6	5	1	3	8	7	4	2
2	1	3	8	5	4	6	9	7
5	8	9	6	2	7	3	1	4
6	7	4	3	9	1	8	2	5

293

9	6	3	5	1	7	2	4	8
8	5	2	3	9	4	1	6	7
1	7	4	8	2	6	5	9	3
6	3	8	1	4	2	9	7	5
2	1	9	7	5	8	4	3	6
5	4	7	6	3	9	8	1	2
7	8	1	4	6	5	3	2	9
4	9	6	2	8	3	7	5	1
3	2	5	9	7	1	6	8	4

294

5	4	9	3	8	1	2	7	6
6	7	3	9	4	2	5	8	1
2	1	8	6	7	5	9	3	4
8	9	7	1	2	3	6	4	5
1	2	5	4	6	7	3	9	8
4	3	6	5	9	8	7	1	2
3	5	4	2	1	9	8	6	7
7	6	2	8	3	4	1	5	9
9	8	1	7	5	6	4	2	3

295

9	3	4	1	7	8	2	6	5
1	2	5	9	4	6	3	8	7
6	8	7	5	3	2	4	9	1
3	5	6	4	8	1	7	2	9
2	4	8	7	5	9	6	1	3
7	9	1	6	2	3	8	5	4
4	7	9	8	6	5	1	3	2
8	1	3	2	9	7	5	4	6
5	6	2	3	1	4	9	7	8

296

2	9	1	4	3	8	5	7	6
7	5	8	2	9	6	3	1	4
4	3	6	5	1	7	8	2	9
6	2	3	8	5	9	1	4	7
9	1	4	7	6	3	2	8	5
8	7	5	1	2	4	9	6	3
3	8	9	6	4	2	7	5	1
1	6	2	9	7	5	4	3	8
5	4	7	3	8	1	6	9	2

297

5	1	4	6	7	2	9	8	3
6	9	8	1	5	3	4	2	7
7	3	2	9	4	8	5	1	6
1	6	5	2	3	9	7	4	8
9	2	7	4	8	1	6	3	5
4	8	3	7	6	5	1	9	2
8	4	1	5	2	7	3	6	9
2	7	6	3	9	4	8	5	1
3	5	9	8	1	6	2	7	4

298

2	1	6	4	3	5	9	8	7
8	5	7	1	6	9	2	3	4
9	4	3	7	2	8	1	5	6
5	9	4	2	7	3	8	6	1
3	6	8	5	1	4	7	2	9
7	2	1	8	9	6	5	4	3
1	3	9	6	8	2	4	7	5
6	8	5	9	4	7	3	1	2
4	7	2	3	5	1	6	9	8

299

2	8	3	1	6	9	5	7	4
5	9	6	4	7	2	3	1	8
7	4	1	8	3	5	9	2	6
9	7	8	2	5	1	4	6	3
6	3	2	7	4	8	1	5	9
4	1	5	6	9	3	7	8	2
8	2	9	3	1	7	6	4	5
1	5	4	9	2	6	8	3	7
3	6	7	5	8	4	2	9	1

300

7	6	8	9	1	2	5	3	4
1	5	4	7	6	3	9	2	8
3	2	9	8	4	5	6	1	7
8	4	6	2	5	7	3	9	1
5	1	3	6	9	8	4	7	2
9	7	2	4	3	1	8	5	6
4	9	1	3	2	6	7	8	5
6	8	5	1	7	9	2	4	3
2	3	7	5	8	4	1	6	9

301

4	3	8	9	5	7	6	2	1
1	7	5	8	6	2	9	3	4
9	2	6	4	3	1	8	7	5
2	1	3	5	9	8	7	4	6
7	5	4	1	2	6	3	9	8
8	6	9	3	7	4	1	5	2
6	8	7	2	4	9	5	1	3
5	9	2	6	1	3	4	8	7
3	4	1	7	8	5	2	6	9

302

9	2	7	5	6	8	4	3	1
1	6	5	3	4	7	2	9	8
3	4	8	1	2	9	5	6	7
7	8	3	2	5	4	9	1	6
6	5	2	9	1	3	8	7	4
4	1	9	7	8	6	3	5	2
5	9	4	6	7	2	1	8	3
2	3	6	8	9	1	7	4	5
8	7	1	4	3	5	6	2	9

303

1	8	5	2	3	9	4	7	6
7	3	6	5	8	4	2	9	1
2	9	4	7	1	6	5	8	3
9	5	7	6	4	1	3	2	8
4	6	3	8	2	5	7	1	9
8	1	2	3	9	7	6	4	5
6	2	9	4	5	8	1	3	7
3	7	8	1	6	2	9	5	4
5	4	1	9	7	3	8	6	2

304

3	8	4	9	7	1	5	2	6
2	6	7	3	5	4	1	9	8
1	9	5	8	6	2	3	7	4
8	4	3	6	9	7	2	1	5
7	5	1	4	2	8	6	3	9
9	2	6	5	1	3	4	8	7
4	3	2	7	8	6	9	5	1
6	7	9	1	3	5	8	4	2
5	1	8	2	4	9	7	6	3

305

3	7	4	9	2	6	5	1	8
2	9	5	3	1	8	7	6	4
6	1	8	5	7	4	9	3	2
8	5	1	7	3	9	2	4	6
4	6	2	8	5	1	3	7	9
9	3	7	6	4	2	8	5	1
1	8	3	2	6	5	4	9	7
5	2	6	4	9	7	1	8	3
7	4	9	1	8	3	6	2	5

306

7	6	4	3	8	9	2	5	1
9	1	5	2	7	4	6	3	8
8	3	2	1	6	5	7	9	4
2	4	7	5	3	8	1	6	9
1	8	6	9	4	7	3	2	5
5	9	3	6	2	1	4	8	7
6	5	8	7	1	3	9	4	2
4	2	1	8	9	6	5	7	3
3	7	9	4	5	2	8	1	6

307

3	9	1	5	4	8	7	2	6
8	6	5	1	7	2	3	9	4
7	4	2	6	9	3	1	5	8
4	3	6	9	1	5	2	8	7
1	5	7	8	2	6	4	3	9
2	8	9	7	3	4	6	1	5
6	1	4	3	5	9	8	7	2
5	2	3	4	8	7	9	6	1
9	7	8	2	6	1	5	4	3

308

6	7	4	3	8	1	2	5	9
3	9	8	5	4	2	6	7	1
2	1	5	9	6	7	8	3	4
4	8	3	2	5	9	1	6	7
1	2	7	4	3	6	9	8	5
5	6	9	7	1	8	3	4	2
9	3	2	8	7	4	5	1	6
7	5	6	1	9	3	4	2	8
8	4	1	6	2	5	7	9	3

309

7	2	1	8	3	9	4	6	5
4	5	9	2	1	6	7	3	8
3	6	8	4	5	7	1	2	9
6	9	4	1	2	3	5	8	7
2	8	5	9	7	4	3	1	6
1	3	7	5	6	8	2	9	4
9	7	6	3	4	2	8	5	1
8	1	3	7	9	5	6	4	2
5	4	2	6	8	1	9	7	3

310

2	6	3	5	8	1	9	4	7
5	9	4	7	3	6	2	1	8
1	7	8	9	4	2	3	5	6
8	1	5	6	2	7	4	3	9
9	3	2	4	5	8	7	6	1
6	4	7	3	1	9	8	2	5
3	5	9	8	6	4	1	7	2
7	2	6	1	9	3	5	8	4
4	8	1	2	7	5	6	9	3

311

7	1	6	8	9	2	4	3	5
3	5	9	1	6	4	8	7	2
4	2	8	5	7	3	6	9	1
1	7	3	4	2	8	9	5	6
9	4	5	3	1	6	7	2	8
8	6	2	7	5	9	1	4	3
6	9	1	2	4	5	3	8	7
2	8	7	9	3	1	5	6	4
5	3	4	6	8	7	2	1	9

312

6	2	1	5	7	4	8	3	9
7	3	5	9	1	8	4	6	2
4	9	8	3	2	6	1	7	5
5	7	9	2	8	3	6	4	1
3	1	2	4	6	7	9	5	8
8	4	6	1	9	5	3	2	7
1	5	7	6	4	9	2	8	3
9	8	4	7	3	2	5	1	6
2	6	3	8	5	1	7	9	4

313

6	8	5	2	7	3	4	1	9
3	7	2	9	4	1	5	6	8
1	4	9	8	5	6	7	3	2
7	3	8	6	9	2	1	4	5
2	1	4	7	3	5	8	9	6
9	5	6	1	8	4	3	2	7
4	6	3	5	2	8	9	7	1
8	9	1	3	6	7	2	5	4
5	2	7	4	1	9	6	8	3

314

6	4	2	5	9	3	1	8	7
9	5	1	6	8	7	3	4	2
8	3	7	2	1	4	9	6	5
5	1	9	7	4	2	6	3	8
4	2	6	9	3	8	5	7	1
7	8	3	1	6	5	2	9	4
2	7	8	3	5	9	4	1	6
3	6	5	4	7	1	8	2	9
1	9	4	8	2	6	7	5	3

315

8	6	2	4	7	3	9	1	5
4	5	3	9	1	8	2	7	6
9	1	7	6	2	5	8	3	4
6	7	5	2	9	4	1	8	3
3	9	1	5	8	7	4	6	2
2	4	8	1	3	6	7	5	9
5	2	6	8	4	1	3	9	7
1	3	9	7	6	2	5	4	8
7	8	4	3	5	9	6	2	1

316

2	1	7	9	8	4	3	5	6
4	5	6	2	7	3	9	8	1
8	3	9	6	1	5	7	2	4
5	9	8	4	3	7	6	1	2
7	6	3	5	2	1	4	9	8
1	4	2	8	9	6	5	3	7
3	7	4	1	5	8	2	6	9
6	2	1	3	4	9	8	7	5
9	8	5	7	6	2	1	4	3

317

3	7	6	9	4	8	2	1	5
8	2	5	6	3	1	4	9	7
1	4	9	2	5	7	6	8	3
5	8	3	7	2	9	1	4	6
6	1	2	3	8	4	7	5	9
7	9	4	5	1	6	3	2	8
4	5	1	8	7	3	9	6	2
2	6	7	1	9	5	8	3	4
9	3	8	4	6	2	5	7	1

318

9	5	8	4	6	1	3	7	2
6	4	1	3	2	7	9	8	5
3	7	2	5	8	9	4	6	1
5	9	3	6	7	4	1	2	8
8	1	6	2	3	5	7	4	9
4	2	7	9	1	8	6	5	3
2	3	4	8	9	6	5	1	7
7	6	9	1	5	2	8	3	4
1	8	5	7	4	3	2	9	6

319

1	5	6	3	8	7	9	2	4
2	3	4	1	5	9	6	7	8
9	7	8	4	6	2	5	1	3
3	4	1	8	2	5	7	9	6
8	6	7	9	1	3	2	4	5
5	2	9	6	7	4	3	8	1
4	8	2	7	3	6	1	5	9
6	9	5	2	4	1	8	3	7
7	1	3	5	9	8	4	6	2

320

4	5	1	7	6	8	9	3	2
3	8	9	1	4	2	6	5	7
2	6	7	9	3	5	1	4	8
7	9	6	4	5	3	2	8	1
1	4	2	8	9	7	5	6	3
8	3	5	2	1	6	7	9	4
6	1	8	5	2	4	3	7	9
5	2	4	3	7	9	8	1	6
9	7	3	6	8	1	4	2	5

321

1	4	3	8	9	7	2	5	6
7	9	2	1	5	6	4	8	3
5	8	6	3	4	2	9	1	7
9	6	5	2	1	3	7	4	8
3	1	8	5	7	4	6	2	9
2	7	4	9	6	8	1	3	5
4	3	9	7	2	5	8	6	1
6	5	1	4	8	9	3	7	2
8	2	7	6	3	1	5	9	4

322

6	5	1	9	8	3	7	2	4
4	7	2	5	1	6	9	8	3
3	8	9	4	7	2	5	1	6
2	9	7	6	4	1	8	3	5
1	6	4	8	3	5	2	9	7
8	3	5	7	2	9	4	6	1
7	1	3	2	5	8	6	4	9
9	4	8	1	6	7	3	5	2
5	2	6	3	9	4	1	7	8

323

1	8	9	3	2	4	6	7	5
4	7	5	9	6	8	3	1	2
3	2	6	1	5	7	4	8	9
6	4	1	2	9	3	7	5	8
2	3	7	8	4	5	9	6	1
9	5	8	6	7	1	2	3	4
8	9	2	7	1	6	5	4	3
5	6	3	4	8	2	1	9	7
7	1	4	5	3	9	8	2	6

324

9	3	6	4	1	5	8	7	2
7	5	4	3	8	2	6	9	1
2	1	8	9	7	6	4	5	3
5	2	9	8	4	3	7	1	6
1	4	7	2	6	9	3	8	5
8	6	3	7	5	1	2	4	9
6	8	1	5	2	4	9	3	7
4	9	2	1	3	7	5	6	8
3	7	5	6	9	8	1	2	4

325

6	2	1	9	3	4	5	8	7
3	8	4	2	5	7	6	1	9
7	9	5	1	8	6	2	4	3
5	1	7	3	6	2	8	9	4
4	6	8	7	1	9	3	2	5
9	3	2	8	4	5	1	7	6
8	5	6	4	7	1	9	3	2
1	4	9	6	2	3	7	5	8
2	7	3	5	9	8	4	6	1

326

5	7	4	3	1	8	9	6	2
2	6	8	5	7	9	1	3	4
9	3	1	6	2	4	7	5	8
7	1	9	4	8	3	6	2	5
8	5	2	9	6	7	4	1	3
3	4	6	2	5	1	8	9	7
4	2	7	1	3	6	5	8	9
6	8	5	7	9	2	3	4	1
1	9	3	8	4	5	2	7	6

327

2	8	4	5	3	7	1	6	9
6	7	1	8	9	4	2	3	5
9	5	3	1	6	2	8	7	4
1	6	7	3	4	9	5	8	2
8	2	5	7	1	6	9	4	3
3	4	9	2	5	8	6	1	7
4	9	2	6	8	3	7	5	1
7	1	8	4	2	5	3	9	6
5	3	6	9	7	1	4	2	8

328

9	6	2	5	1	3	4	7	8
5	4	1	7	6	8	3	9	2
7	8	3	4	9	2	5	1	6
4	2	5	6	3	1	7	8	9
1	9	7	2	8	5	6	4	3
8	3	6	9	7	4	1	2	5
3	7	9	1	2	6	8	5	4
2	5	8	3	4	7	9	6	1
6	1	4	8	5	9	2	3	7

329

2	4	1	5	9	8	6	7	3
8	9	5	6	3	7	2	4	1
7	3	6	4	1	2	8	5	9
6	1	8	7	4	9	3	2	5
4	5	2	3	8	1	9	6	7
3	7	9	2	5	6	1	8	4
1	6	3	8	7	5	4	9	2
5	2	4	9	6	3	7	1	8
9	8	7	1	2	4	5	3	6

330

9	1	5	7	3	4	6	2	8
6	7	2	8	5	9	3	1	4
3	8	4	2	1	6	7	5	9
8	4	6	9	7	2	1	3	5
5	9	7	3	8	1	4	6	2
2	3	1	4	6	5	9	8	7
4	5	3	1	2	7	8	9	6
1	6	9	5	4	8	2	7	3
7	2	8	6	9	3	5	4	1

331

7	3	4	2	8	1	9	5	6
5	8	1	7	9	6	2	3	4
6	9	2	4	5	3	7	1	8
4	5	3	1	2	9	6	8	7
9	1	7	6	4	8	5	2	3
2	6	8	3	7	5	4	9	1
8	2	6	9	3	7	1	4	5
1	4	5	8	6	2	3	7	9
3	7	9	5	1	4	8	6	2

332

1	4	6	9	5	7	8	2	3
5	3	2	6	4	8	7	9	1
7	9	8	3	1	2	4	6	5
8	6	1	5	2	9	3	4	7
2	5	3	8	7	4	9	1	6
9	7	4	1	3	6	5	8	2
4	1	9	7	6	5	2	3	8
3	8	5	2	9	1	6	7	4
6	2	7	4	8	3	1	5	9

333

1	3	6	4	2	9	7	5	8
4	8	5	3	7	6	9	1	2
2	9	7	5	1	8	6	4	3
9	5	4	2	6	1	3	8	7
6	1	8	7	5	3	2	9	4
3	7	2	8	9	4	5	6	1
7	2	9	1	4	5	8	3	6
8	6	1	9	3	7	4	2	5
5	4	3	6	8	2	1	7	9

334

8	6	3	2	4	5	1	7	9
4	1	2	6	9	7	3	5	8
5	7	9	3	1	8	2	6	4
6	3	5	9	7	4	8	1	2
7	9	8	1	5	2	4	3	6
1	2	4	8	6	3	7	9	5
3	8	1	5	2	6	9	4	7
2	5	7	4	3	9	6	8	1
9	4	6	7	8	1	5	2	3

335

6	7	4	5	9	2	1	3	8
2	5	3	8	7	1	9	6	4
8	1	9	6	4	3	5	2	7
9	6	7	1	2	4	8	5	3
4	3	5	9	8	7	6	1	2
1	8	2	3	6	5	4	7	9
5	2	1	4	3	9	7	8	6
3	4	8	7	1	6	2	9	5
7	9	6	2	5	8	3	4	1

336

7	5	9	2	1	3	8	4	6
1	8	3	4	6	5	7	2	9
4	6	2	9	7	8	5	1	3
6	2	4	7	5	9	3	8	1
3	7	1	6	8	2	9	5	4
8	9	5	1	3	4	6	7	2
5	4	7	3	9	1	2	6	8
2	3	6	8	4	7	1	9	5
9	1	8	5	2	6	4	3	7

337

3	2	5	7	6	9	8	4	1
9	8	7	1	4	5	3	6	2
6	4	1	2	8	3	7	5	9
8	6	2	5	7	4	1	9	3
7	9	4	3	1	6	5	2	8
5	1	3	9	2	8	6	7	4
2	5	8	4	3	7	9	1	6
1	7	6	8	9	2	4	3	5
4	3	9	6	5	1	2	8	7

338

9	4	8	5	2	3	1	7	6
7	6	2	1	8	4	5	9	3
3	1	5	9	7	6	8	4	2
2	9	6	7	4	5	3	1	8
1	8	7	2	3	9	4	6	5
4	5	3	8	6	1	7	2	9
8	7	9	4	5	2	6	3	1
5	3	1	6	9	7	2	8	4
6	2	4	3	1	8	9	5	7

339

3	2	1	9	4	5	7	6	8
5	4	7	2	6	8	3	1	9
9	6	8	3	7	1	4	5	2
4	7	5	8	1	6	2	9	3
2	3	6	4	5	9	8	7	1
1	8	9	7	2	3	6	4	5
7	5	4	1	3	2	9	8	6
8	1	2	6	9	7	5	3	4
6	9	3	5	8	4	1	2	7

340

1	3	6	4	9	2	7	5	8
4	2	9	8	5	7	3	6	1
8	7	5	6	1	3	2	9	4
7	1	3	5	6	4	8	2	9
6	9	2	3	8	1	5	4	7
5	4	8	7	2	9	6	1	3
9	6	7	1	3	5	4	8	2
3	8	1	2	4	6	9	7	5
2	5	4	9	7	8	1	3	6

341

2	1	8	6	4	7	3	9	5
9	7	5	2	3	8	1	4	6
4	6	3	5	1	9	8	7	2
1	4	2	8	9	5	7	6	3
5	3	9	1	7	6	4	2	8
7	8	6	3	2	4	9	5	1
8	2	4	7	5	3	6	1	9
6	5	7	9	8	1	2	3	4
3	9	1	4	6	2	5	8	7

342

2	9	6	3	1	7	8	5	4
1	3	4	8	6	5	9	7	2
7	8	5	9	2	4	6	3	1
3	5	1	7	8	9	2	4	6
6	7	8	2	4	1	3	9	5
4	2	9	6	5	3	7	1	8
8	4	3	5	9	6	1	2	7
9	1	2	4	7	8	5	6	3
5	6	7	1	3	2	4	8	9

343

9	4	1	7	3	2	6	5	8
7	5	3	6	8	4	9	2	1
8	6	2	1	9	5	7	4	3
1	7	5	2	6	8	4	3	9
2	3	6	5	4	9	1	8	7
4	8	9	3	1	7	5	6	2
3	9	8	4	5	1	2	7	6
6	2	4	9	7	3	8	1	5
5	1	7	8	2	6	3	9	4

344

8	7	6	2	3	9	1	4	5
5	4	9	8	1	6	3	7	2
1	2	3	7	5	4	9	8	6
9	6	2	3	8	7	5	1	4
3	8	5	4	9	1	6	2	7
7	1	4	5	6	2	8	3	9
2	3	8	9	4	5	7	6	1
6	9	7	1	2	8	4	5	3
4	5	1	6	7	3	2	9	8

345

5	7	3	8	6	9	2	4	1
6	2	8	1	7	4	9	3	5
4	9	1	3	2	5	8	6	7
1	4	7	6	9	3	5	2	8
2	8	6	7	5	1	4	9	3
9	3	5	2	4	8	1	7	6
7	1	4	9	8	6	3	5	2
3	6	9	5	1	2	7	8	4
8	5	2	4	3	7	6	1	9

346

4	3	8	9	1	6	2	5	7
5	6	2	8	7	4	3	9	1
1	7	9	2	5	3	8	6	4
2	4	3	6	9	8	7	1	5
6	1	7	5	3	2	4	8	9
9	8	5	1	4	7	6	2	3
3	2	1	4	8	9	5	7	6
7	5	6	3	2	1	9	4	8
8	9	4	7	6	5	1	3	2

347

4	5	2	3	8	9	7	6	1
3	1	6	7	2	5	9	8	4
7	9	8	6	4	1	2	5	3
9	8	3	2	7	4	5	1	6
5	4	7	1	6	8	3	9	2
6	2	1	5	9	3	8	4	7
2	3	9	4	5	6	1	7	8
1	6	5	8	3	7	4	2	9
8	7	4	9	1	2	6	3	5

348

6	5	7	1	3	4	8	9	2
8	1	3	9	7	2	4	6	5
4	9	2	6	5	8	3	7	1
2	8	5	4	9	3	6	1	7
9	4	6	8	1	7	2	5	3
3	7	1	5	2	6	9	8	4
7	2	8	3	6	1	5	4	9
1	6	9	2	4	5	7	3	8
5	3	4	7	8	9	1	2	6

349

5	7	9	1	3	2	4	8	6
3	6	1	5	4	8	2	7	9
4	2	8	7	9	6	5	3	1
9	8	3	2	7	5	6	1	4
2	4	5	3	6	1	8	9	7
6	1	7	9	8	4	3	2	5
1	9	6	8	5	3	7	4	2
7	3	4	6	2	9	1	5	8
8	5	2	4	1	7	9	6	3

350

2	3	6	5	9	8	4	1	7
4	5	7	3	1	2	6	8	9
8	9	1	6	7	4	5	3	2
9	8	4	7	2	6	3	5	1
1	6	5	9	8	3	2	7	4
7	2	3	1	4	5	8	9	6
5	4	9	8	6	1	7	2	3
3	1	2	4	5	7	9	6	8
6	7	8	2	3	9	1	4	5

351

1	6	4	7	8	2	9	5	3
9	5	2	3	4	6	7	8	1
8	3	7	1	9	5	4	6	2
7	8	6	4	1	3	5	2	9
2	9	3	5	7	8	1	4	6
4	1	5	2	6	9	3	7	8
3	4	9	8	2	7	6	1	5
6	7	8	9	5	1	2	3	4
5	2	1	6	3	4	8	9	7

352

9	4	6	5	7	8	1	3	2
5	1	3	4	2	9	7	6	8
8	2	7	3	1	6	5	9	4
4	9	8	1	5	2	3	7	6
3	6	1	9	4	7	8	2	5
2	7	5	8	6	3	4	1	9
7	5	4	2	9	1	6	8	3
6	8	2	7	3	4	9	5	1
1	3	9	6	8	5	2	4	7

353

5	3	8	7	9	6	1	2	4
7	1	2	4	5	8	9	6	3
9	4	6	2	1	3	5	7	8
8	9	4	3	6	2	7	1	5
6	7	5	1	8	9	4	3	2
3	2	1	5	7	4	8	9	6
1	8	3	6	4	7	2	5	9
4	6	7	9	2	5	3	8	1
2	5	9	8	3	1	6	4	7

354

9	7	1	6	8	3	2	5	4
3	8	5	2	9	4	7	6	1
4	2	6	1	5	7	3	9	8
7	1	4	5	3	9	6	8	2
6	3	9	7	2	8	1	4	5
2	5	8	4	1	6	9	7	3
5	9	3	8	6	2	4	1	7
1	4	2	9	7	5	8	3	6
8	6	7	3	4	1	5	2	9

355

9	3	2	8	6	1	7	4	5
7	8	5	2	9	4	6	3	1
1	4	6	5	3	7	8	2	9
2	9	1	4	8	6	3	5	7
5	7	8	1	2	3	4	9	6
4	6	3	7	5	9	1	8	2
8	1	7	9	4	2	5	6	3
6	5	9	3	1	8	2	7	4
3	2	4	6	7	5	9	1	8

356

4	2	8	6	9	1	5	7	3
3	1	7	5	4	2	9	6	8
6	5	9	3	8	7	1	4	2
5	8	6	7	1	4	2	3	9
9	7	2	8	5	3	6	1	4
1	4	3	2	6	9	7	8	5
8	6	1	9	3	5	4	2	7
7	9	4	1	2	8	3	5	6
2	3	5	4	7	6	8	9	1

357

5	3	1	9	8	4	2	7	6
7	6	9	5	2	1	3	8	4
8	2	4	3	6	7	1	9	5
4	9	8	2	1	5	7	6	3
3	7	5	4	9	6	8	1	2
2	1	6	7	3	8	5	4	9
6	8	3	1	4	2	9	5	7
1	5	2	6	7	9	4	3	8
9	4	7	8	5	3	6	2	1

358

7	3	4	2	9	6	5	1	8
6	5	8	1	3	4	2	7	9
9	1	2	5	7	8	4	6	3
2	6	1	3	8	5	7	9	4
4	7	5	9	1	2	8	3	6
3	8	9	6	4	7	1	2	5
8	4	3	7	6	1	9	5	2
5	9	7	4	2	3	6	8	1
1	2	6	8	5	9	3	4	7

359

1	2	4	6	9	5	7	8	3
7	9	8	3	1	4	5	6	2
6	5	3	8	2	7	4	1	9
8	6	1	4	7	2	9	3	5
9	4	5	1	3	8	2	7	6
3	7	2	5	6	9	1	4	8
5	1	7	9	8	3	6	2	4
2	8	9	7	4	6	3	5	1
4	3	6	2	5	1	8	9	7

360

9	5	8	6	7	2	4	3	1
4	1	7	9	5	3	2	8	6
2	6	3	1	8	4	5	7	9
7	9	5	2	3	6	8	1	4
3	4	1	8	9	7	6	5	2
8	2	6	4	1	5	3	9	7
1	7	4	3	6	8	9	2	5
5	8	2	7	4	9	1	6	3
6	3	9	5	2	1	7	4	8

361

4	2	9	8	6	5	1	3	7
7	1	6	4	2	3	5	8	9
3	5	8	9	1	7	6	4	2
6	4	5	7	9	1	3	2	8
8	7	2	6	3	4	9	1	5
1	9	3	5	8	2	7	6	4
2	8	1	3	7	9	4	5	6
5	6	7	1	4	8	2	9	3
9	3	4	2	5	6	8	7	1

362

4	2	5	1	8	6	7	9	3
6	9	8	5	3	7	2	4	1
3	7	1	2	4	9	8	5	6
8	6	9	7	1	4	5	3	2
5	1	7	6	2	3	4	8	9
2	3	4	8	9	5	6	1	7
9	5	3	4	6	2	1	7	8
7	8	2	9	5	1	3	6	4
1	4	6	3	7	8	9	2	5

363

2	3	6	7	5	8	4	9	1
1	7	4	9	6	3	2	8	5
5	8	9	2	4	1	3	7	6
8	9	2	3	1	6	7	5	4
3	6	7	5	9	4	1	2	8
4	5	1	8	2	7	9	6	3
6	4	8	1	7	2	5	3	9
7	1	5	6	3	9	8	4	2
9	2	3	4	8	5	6	1	7

364

6	4	8	2	3	9	1	5	7
2	9	7	5	6	1	4	8	3
5	3	1	8	4	7	2	6	9
4	5	2	6	9	3	7	1	8
9	7	3	1	2	8	5	4	6
1	8	6	7	5	4	9	3	2
3	2	5	9	1	6	8	7	4
8	6	9	4	7	5	3	2	1
7	1	4	3	8	2	6	9	5

365

7	1	9	6	5	8	3	4	2
4	3	5	9	2	7	1	6	8
2	8	6	4	3	1	7	5	9
8	7	2	3	4	6	5	9	1
5	6	3	8	1	9	2	7	4
1	9	4	2	7	5	6	8	3
3	4	7	5	9	2	8	1	6
6	2	1	7	8	4	9	3	5
9	5	8	1	6	3	4	2	7

366

8	6	7	9	2	3	5	4	1
1	4	9	8	5	7	6	2	3
5	3	2	6	1	4	7	9	8
7	8	4	2	6	1	3	5	9
6	2	3	5	4	9	8	1	7
9	5	1	3	7	8	4	6	2
3	7	5	4	9	2	1	8	6
4	9	8	1	3	6	2	7	5
2	1	6	7	8	5	9	3	4

367

1	8	4	9	6	5	2	7	3
7	5	6	3	2	1	9	4	8
9	2	3	4	7	8	6	5	1
8	7	2	5	3	6	1	9	4
3	4	5	1	8	9	7	6	2
6	1	9	2	4	7	8	3	5
4	3	7	6	1	2	5	8	9
2	9	8	7	5	4	3	1	6
5	6	1	8	9	3	4	2	7

368

1	8	6	4	3	7	5	2	9
3	7	4	9	2	5	6	8	1
5	2	9	1	8	6	3	4	7
4	9	7	2	5	8	1	3	6
8	5	3	6	7	1	2	9	4
6	1	2	3	9	4	7	5	8
7	6	5	8	4	3	9	1	2
9	4	1	5	6	2	8	7	3
2	3	8	7	1	9	4	6	5

369

3	9	4	5	1	8	7	6	2
8	2	5	6	7	3	9	1	4
7	6	1	4	9	2	8	3	5
1	4	8	3	5	9	6	2	7
2	3	7	1	6	4	5	8	9
9	5	6	8	2	7	1	4	3
5	8	2	7	3	6	4	9	1
6	7	3	9	4	1	2	5	8
4	1	9	2	8	5	3	7	6

370

5	7	3	4	2	6	1	8	9
2	6	8	9	1	5	3	4	7
1	4	9	8	7	3	6	2	5
7	8	1	2	5	4	9	6	3
3	5	6	1	9	8	4	7	2
9	2	4	3	6	7	5	1	8
6	1	5	7	3	2	8	9	4
8	9	7	5	4	1	2	3	6
4	3	2	6	8	9	7	5	1

371

5	8	2	4	1	7	3	6	9
6	9	1	3	5	8	2	4	7
4	3	7	2	6	9	5	1	8
1	4	3	8	2	5	7	9	6
7	2	5	6	9	4	8	3	1
8	6	9	1	7	3	4	5	2
3	7	4	9	8	1	6	2	5
2	1	8	5	4	6	9	7	3
9	5	6	7	3	2	1	8	4

372

6	9	3	2	1	8	5	4	7
7	4	2	5	6	3	9	1	8
8	1	5	9	7	4	2	3	6
9	5	6	7	4	1	8	2	3
4	3	8	6	5	2	7	9	1
1	2	7	3	8	9	4	6	5
5	7	9	1	2	6	3	8	4
2	8	1	4	3	7	6	5	9
3	6	4	8	9	5	1	7	2

373

6	1	4	3	9	2	8	7	5
8	2	9	5	1	7	3	6	4
7	5	3	6	4	8	2	9	1
1	8	2	4	5	6	7	3	9
3	7	5	1	8	9	6	4	2
9	4	6	7	2	3	1	5	8
4	6	8	9	7	1	5	2	3
5	3	1	2	6	4	9	8	7
2	9	7	8	3	5	4	1	6

374

6	3	8	2	5	4	1	9	7
5	1	9	8	3	7	2	4	6
4	7	2	1	6	9	5	8	3
9	8	1	7	4	3	6	2	5
7	2	6	9	8	5	4	3	1
3	4	5	6	2	1	8	7	9
2	6	7	3	1	8	9	5	4
1	9	4	5	7	2	3	6	8
8	5	3	4	9	6	7	1	2

375

9	4	5	3	6	2	8	7	1
2	6	7	8	1	4	9	5	3
3	1	8	7	5	9	6	4	2
4	5	1	6	2	3	7	8	9
7	9	2	5	4	8	1	3	6
6	8	3	1	9	7	4	2	5
5	7	4	9	3	6	2	1	8
8	3	6	2	7	1	5	9	4
1	2	9	4	8	5	3	6	7

376

3	2	4	9	1	8	6	5	7
1	9	6	3	7	5	2	4	8
7	5	8	4	2	6	3	1	9
4	8	3	6	9	7	1	2	5
9	6	2	5	4	1	8	7	3
5	1	7	8	3	2	9	6	4
8	4	5	2	6	9	7	3	1
6	3	1	7	8	4	5	9	2
2	7	9	1	5	3	4	8	6

377

5	3	7	4	1	9	8	6	2
9	8	6	3	2	5	4	1	7
4	1	2	8	7	6	5	3	9
2	4	5	7	9	3	1	8	6
3	6	8	1	5	2	7	9	4
1	7	9	6	8	4	3	2	5
7	5	3	9	6	1	2	4	8
8	9	1	2	4	7	6	5	3
6	2	4	5	3	8	9	7	1

378

4	8	5	2	3	9	7	1	6
9	2	1	6	7	5	4	3	8
7	6	3	8	4	1	5	9	2
6	4	7	5	2	3	1	8	9
1	5	2	9	8	7	6	4	3
8	3	9	4	1	6	2	7	5
2	9	8	1	5	4	3	6	7
3	1	6	7	9	2	8	5	4
5	7	4	3	6	8	9	2	1

379

9	8	5	7	3	2	1	4	6
4	2	6	1	8	5	7	3	9
7	1	3	6	9	4	5	8	2
5	6	7	2	4	3	9	1	8
8	4	2	9	7	1	3	6	5
3	9	1	8	5	6	4	2	7
2	3	4	5	6	7	8	9	1
1	7	9	3	2	8	6	5	4
6	5	8	4	1	9	2	7	3

380

6	3	9	1	4	2	8	5	7
2	1	7	5	3	8	9	6	4
4	8	5	7	6	9	1	2	3
7	4	6	9	5	1	3	8	2
8	9	3	6	2	4	7	1	5
5	2	1	3	8	7	4	9	6
1	7	4	2	9	6	5	3	8
9	5	2	8	7	3	6	4	1
3	6	8	4	1	5	2	7	9

381

2	7	9	5	8	4	1	3	6
6	1	5	7	3	9	8	2	4
8	4	3	6	1	2	9	5	7
7	5	8	2	9	6	4	1	3
9	3	4	1	7	5	2	6	8
1	2	6	3	4	8	7	9	5
5	6	1	8	2	7	3	4	9
4	8	2	9	6	3	5	7	1
3	9	7	4	5	1	6	8	2

382

9	8	4	7	1	6	5	3	2
6	3	2	8	4	5	1	7	9
5	1	7	9	3	2	4	6	8
1	7	8	6	9	3	2	5	4
4	9	3	2	5	8	6	1	7
2	6	5	4	7	1	8	9	3
3	2	6	5	8	7	9	4	1
7	5	9	1	2	4	3	8	6
8	4	1	3	6	9	7	2	5

383

7	6	9	4	3	2	5	1	8
3	2	5	1	6	8	7	4	9
1	8	4	7	5	9	6	3	2
5	4	7	2	1	6	8	9	3
8	3	2	9	7	4	1	5	6
6	9	1	5	8	3	2	7	4
2	7	3	6	9	1	4	8	5
9	1	6	8	4	5	3	2	7
4	5	8	3	2	7	9	6	1

384

6	9	1	8	5	3	4	7	2
5	7	3	6	4	2	9	1	8
2	4	8	9	7	1	3	6	5
1	6	4	2	9	5	8	3	7
3	8	2	7	1	6	5	9	4
9	5	7	4	3	8	6	2	1
8	1	5	3	2	9	7	4	6
7	2	9	5	6	4	1	8	3
4	3	6	1	8	7	2	5	9

385

7	4	6	5	9	1	3	2	8
8	1	9	2	7	3	5	4	6
5	2	3	4	8	6	1	7	9
9	5	8	6	1	7	4	3	2
3	6	2	8	4	5	9	1	7
1	7	4	9	3	2	6	8	5
2	3	1	7	5	9	8	6	4
6	8	5	1	2	4	7	9	3
4	9	7	3	6	8	2	5	1

386

6	9	7	2	5	3	4	1	8
3	4	8	6	1	7	9	2	5
5	1	2	8	9	4	3	7	6
4	7	5	1	2	6	8	9	3
9	2	3	7	8	5	1	6	4
1	8	6	3	4	9	2	5	7
8	3	1	5	6	2	7	4	9
7	5	9	4	3	1	6	8	2
2	6	4	9	7	8	5	3	1

387

6	8	9	4	2	5	1	7	3
5	4	1	8	7	3	2	6	9
3	7	2	6	1	9	5	8	4
1	9	4	3	8	6	7	2	5
7	6	3	2	5	1	4	9	8
8	2	5	9	4	7	3	1	6
9	1	7	5	3	8	6	4	2
4	3	8	7	6	2	9	5	1
2	5	6	1	9	4	8	3	7

388

3	8	2	4	5	6	7	1	9
5	6	9	3	1	7	4	2	8
1	7	4	2	8	9	5	6	3
9	5	7	1	2	8	3	4	6
8	1	6	9	4	3	2	5	7
2	4	3	6	7	5	9	8	1
6	3	5	8	9	4	1	7	2
4	9	1	7	6	2	8	3	5
7	2	8	5	3	1	6	9	4

389

3	2	8	6	5	4	1	7	9
5	1	6	2	7	9	4	3	8
4	9	7	3	1	8	5	6	2
1	5	4	8	6	7	2	9	3
2	7	9	1	4	3	8	5	6
6	8	3	9	2	5	7	1	4
8	3	2	5	9	1	6	4	7
7	6	5	4	3	2	9	8	1
9	4	1	7	8	6	3	2	5

390

3	9	8	5	2	1	4	7	6
7	5	2	6	4	3	1	9	8
1	6	4	9	8	7	2	3	5
6	8	1	2	5	9	3	4	7
5	4	7	3	1	6	9	8	2
2	3	9	8	7	4	6	5	1
9	1	6	7	3	8	5	2	4
8	2	3	4	6	5	7	1	9
4	7	5	1	9	2	8	6	3

391

8	2	7	9	1	4	5	6	3
1	5	4	6	8	3	2	7	9
9	6	3	5	2	7	4	1	8
7	8	2	1	5	6	9	3	4
3	1	6	8	4	9	7	2	5
4	9	5	7	3	2	6	8	1
5	3	9	2	6	8	1	4	7
6	4	1	3	7	5	8	9	2
2	7	8	4	9	1	3	5	6

392

4	7	6	5	9	2	3	8	1
9	8	1	3	4	6	7	2	5
3	5	2	7	8	1	9	6	4
1	6	5	9	3	8	2	4	7
8	9	4	2	6	7	5	1	3
2	3	7	1	5	4	8	9	6
6	2	9	4	7	5	1	3	8
7	4	3	8	1	9	6	5	2
5	1	8	6	2	3	4	7	9

393

8	5	3	9	1	7	6	4	2
1	9	6	2	4	3	8	5	7
7	2	4	5	8	6	9	1	3
6	1	8	3	5	2	7	9	4
9	3	5	4	7	1	2	6	8
4	7	2	6	9	8	1	3	5
3	8	9	7	6	4	5	2	1
2	6	1	8	3	5	4	7	9
5	4	7	1	2	9	3	8	6

394

4	6	7	9	2	1	3	8	5
5	2	9	6	8	3	4	1	7
3	8	1	7	4	5	6	9	2
8	1	2	4	7	9	5	6	3
9	3	6	1	5	2	8	7	4
7	4	5	3	6	8	1	2	9
2	5	3	8	1	7	9	4	6
6	9	8	2	3	4	7	5	1
1	7	4	5	9	6	2	3	8

395

4	7	2	8	5	1	6	9	3
6	8	5	9	7	3	2	1	4
9	3	1	4	2	6	5	7	8
3	5	8	2	1	7	4	6	9
1	4	7	6	9	8	3	2	5
2	9	6	5	3	4	1	8	7
8	6	9	1	4	5	7	3	2
5	1	3	7	8	2	9	4	6
7	2	4	3	6	9	8	5	1

396

4	6	8	9	2	1	5	7	3
1	3	5	4	6	7	8	2	9
9	2	7	8	5	3	6	1	4
7	4	9	5	1	2	3	6	8
8	1	6	3	9	4	2	5	7
3	5	2	7	8	6	9	4	1
2	9	3	1	7	5	4	8	6
5	8	1	6	4	9	7	3	2
6	7	4	2	3	8	1	9	5

397

7	2	1	8	9	4	6	3	5
4	6	5	3	1	7	2	9	8
9	3	8	2	6	5	1	7	4
1	9	2	7	4	3	5	8	6
3	8	7	6	5	1	4	2	9
6	5	4	9	8	2	3	1	7
2	7	9	4	3	6	8	5	1
8	1	6	5	2	9	7	4	3
5	4	3	1	7	8	9	6	2

398

1	9	2	4	7	3	8	6	5
3	5	6	8	1	2	9	7	4
7	8	4	6	5	9	1	2	3
9	3	5	2	6	1	4	8	7
8	4	1	3	9	7	2	5	6
2	6	7	5	4	8	3	1	9
6	1	8	9	3	5	7	4	2
4	2	3	7	8	6	5	9	1
5	7	9	1	2	4	6	3	8

399

1	7	2	4	3	8	6	9	5
5	3	9	1	6	7	4	2	8
4	8	6	5	9	2	7	1	3
2	9	5	8	4	3	1	6	7
3	6	8	7	1	9	2	5	4
7	4	1	2	5	6	3	8	9
8	5	7	3	2	1	9	4	6
9	2	4	6	7	5	8	3	1
6	1	3	9	8	4	5	7	2

400

4	2	9	1	7	5	8	3	6
5	8	7	9	6	3	1	4	2
1	3	6	2	4	8	7	9	5
8	4	3	5	1	6	2	7	9
7	9	1	4	8	2	6	5	3
2	6	5	7	3	9	4	1	8
6	7	2	3	5	1	9	8	4
9	5	4	8	2	7	3	6	1
3	1	8	6	9	4	5	2	7

401

1	6	2	7	3	8	5	9	4
8	7	9	5	4	2	6	1	3
3	5	4	1	9	6	7	8	2
6	1	8	2	5	3	4	7	9
7	9	5	6	1	4	2	3	8
2	4	3	8	7	9	1	5	6
4	2	7	3	8	1	9	6	5
5	3	6	9	2	7	8	4	1
9	8	1	4	6	5	3	2	7

402

9	2	5	1	6	8	3	7	4
3	8	6	9	7	4	1	5	2
1	4	7	2	5	3	9	8	6
2	5	4	7	3	9	8	6	1
6	9	8	4	2	1	5	3	7
7	3	1	6	8	5	4	2	9
5	1	2	3	9	7	6	4	8
8	6	9	5	4	2	7	1	3
4	7	3	8	1	6	2	9	5

403

6	3	7	9	2	4	8	5	1
5	8	4	6	1	3	7	2	9
2	1	9	7	5	8	3	6	4
1	2	3	4	9	7	6	8	5
4	5	6	3	8	1	2	9	7
7	9	8	5	6	2	1	4	3
3	6	5	2	7	9	4	1	8
9	7	1	8	4	6	5	3	2
8	4	2	1	3	5	9	7	6

404

6	3	9	4	2	8	1	5	7
8	4	5	3	1	7	6	2	9
7	1	2	5	9	6	8	3	4
3	2	8	9	6	4	7	1	5
9	7	6	1	5	3	2	4	8
1	5	4	8	7	2	3	9	6
4	6	1	7	3	9	5	8	2
2	8	3	6	4	5	9	7	1
5	9	7	2	8	1	4	6	3

405

2	1	6	4	3	7	8	5	9
5	9	8	2	6	1	4	7	3
3	4	7	9	8	5	6	2	1
4	6	2	8	5	3	1	9	7
9	5	1	6	7	4	3	8	2
8	7	3	1	9	2	5	4	6
7	2	4	3	1	8	9	6	5
6	3	5	7	4	9	2	1	8
1	8	9	5	2	6	7	3	4

406

1	6	3	5	8	9	2	7	4
2	4	5	1	3	7	6	8	9
8	9	7	2	6	4	3	5	1
9	5	8	7	4	6	1	3	2
6	7	1	3	5	2	4	9	8
4	3	2	8	9	1	7	6	5
3	1	9	4	7	5	8	2	6
7	2	6	9	1	8	5	4	3
5	8	4	6	2	3	9	1	7

407

2	1	9	4	6	3	5	7	8
6	7	4	8	2	5	1	9	3
8	3	5	7	1	9	4	6	2
9	5	1	6	3	8	2	4	7
7	2	6	5	4	1	8	3	9
4	8	3	2	9	7	6	5	1
1	9	8	3	5	4	7	2	6
5	6	7	9	8	2	3	1	4
3	4	2	1	7	6	9	8	5

408

5	9	3	7	4	1	8	6	2
1	8	4	2	6	3	7	5	9
7	6	2	9	5	8	1	4	3
6	4	5	1	9	7	2	3	8
9	1	8	3	2	6	4	7	5
2	3	7	5	8	4	9	1	6
3	7	9	6	1	2	5	8	4
8	2	1	4	3	5	6	9	7
4	5	6	8	7	9	3	2	1

409

5	3	1	7	6	9	8	4	2
9	2	7	8	1	4	6	5	3
4	8	6	3	2	5	1	9	7
1	7	5	9	4	8	3	2	6
8	6	3	2	5	7	4	1	9
2	4	9	6	3	1	5	7	8
6	1	8	4	9	2	7	3	5
3	9	4	5	7	6	2	8	1
7	5	2	1	8	3	9	6	4

410

1	9	3	8	5	7	2	6	4
8	7	4	2	1	6	9	5	3
5	2	6	9	3	4	7	1	8
9	3	2	5	7	8	6	4	1
7	1	8	6	4	9	5	3	2
4	6	5	1	2	3	8	9	7
6	5	7	4	8	1	3	2	9
3	4	9	7	6	2	1	8	5
2	8	1	3	9	5	4	7	6

411

2	4	1	6	7	5	8	9	3
6	3	8	9	2	1	7	5	4
9	5	7	4	3	8	1	2	6
7	6	3	2	8	4	5	1	9
4	1	5	7	6	9	2	3	8
8	2	9	5	1	3	6	4	7
3	7	6	1	9	2	4	8	5
1	9	4	8	5	7	3	6	2
5	8	2	3	4	6	9	7	1

412

5	4	9	7	2	3	8	1	6
3	8	6	5	4	1	7	2	9
1	2	7	6	9	8	4	5	3
9	3	2	1	8	6	5	4	7
8	1	4	9	7	5	3	6	2
7	6	5	4	3	2	9	8	1
6	5	8	3	1	7	2	9	4
2	9	3	8	6	4	1	7	5
4	7	1	2	5	9	6	3	8

413

6	4	7	3	2	5	1	9	8
1	2	5	8	9	7	6	3	4
8	9	3	4	6	1	7	2	5
9	1	8	2	4	3	5	6	7
3	7	2	5	8	6	9	4	1
4	5	6	7	1	9	3	8	2
2	3	1	9	5	8	4	7	6
5	8	9	6	7	4	2	1	3
7	6	4	1	3	2	8	5	9

414

6	3	1	2	7	4	8	9	5
7	4	5	1	9	8	3	2	6
8	9	2	3	6	5	4	1	7
4	5	7	9	3	6	2	8	1
1	2	3	8	5	7	6	4	9
9	6	8	4	1	2	5	7	3
3	1	4	5	2	9	7	6	8
5	8	6	7	4	1	9	3	2
2	7	9	6	8	3	1	5	4

415

6	2	3	9	8	1	7	4	5
9	7	1	3	5	4	6	2	8
8	4	5	7	2	6	3	1	9
5	1	2	8	9	3	4	6	7
3	6	4	5	1	7	9	8	2
7	8	9	4	6	2	1	5	3
2	9	7	1	4	5	8	3	6
1	3	6	2	7	8	5	9	4
4	5	8	6	3	9	2	7	1

416

1	7	2	8	3	4	5	9	6
5	6	8	7	9	1	2	3	4
3	9	4	2	6	5	8	7	1
8	1	7	4	5	2	9	6	3
6	3	5	9	1	8	4	2	7
4	2	9	3	7	6	1	8	5
2	8	1	6	4	7	3	5	9
7	4	3	5	2	9	6	1	8
9	5	6	1	8	3	7	4	2

417

1	2	4	8	3	9	6	5	7
8	7	9	6	4	5	2	1	3
5	3	6	1	7	2	9	8	4
4	1	2	5	8	6	3	7	9
9	6	5	7	1	3	8	4	2
7	8	3	2	9	4	5	6	1
3	4	8	9	5	7	1	2	6
6	9	1	4	2	8	7	3	5
2	5	7	3	6	1	4	9	8

418

7	5	8	1	2	6	3	9	4
6	2	4	9	3	7	8	1	5
1	3	9	5	8	4	6	2	7
8	6	3	7	5	9	1	4	2
2	1	7	4	6	8	5	3	9
4	9	5	3	1	2	7	6	8
5	4	6	2	7	3	9	8	1
9	8	1	6	4	5	2	7	3
3	7	2	8	9	1	4	5	6

419

4	9	6	8	2	3	1	5	7
1	3	5	7	4	6	2	9	8
2	8	7	5	9	1	3	6	4
3	1	2	4	6	7	5	8	9
8	7	4	2	5	9	6	3	1
5	6	9	3	1	8	4	7	2
9	4	8	6	3	2	7	1	5
6	5	1	9	7	4	8	2	3
7	2	3	1	8	5	9	4	6

420

2	7	4	9	5	6	1	8	3
3	6	9	4	1	8	5	7	2
8	5	1	3	2	7	4	9	6
9	1	8	6	7	2	3	5	4
5	3	2	1	9	4	7	6	8
7	4	6	5	8	3	2	1	9
4	9	5	8	3	1	6	2	7
1	2	3	7	6	9	8	4	5
6	8	7	2	4	5	9	3	1

421

8	6	9	2	5	1	4	3	7
2	7	1	6	3	4	5	8	9
5	4	3	8	7	9	1	2	6
7	8	4	3	6	5	2	9	1
3	2	6	1	9	8	7	5	4
9	1	5	7	4	2	3	6	8
1	9	7	5	2	6	8	4	3
4	3	2	9	8	7	6	1	5
6	5	8	4	1	3	9	7	2

422

7	1	4	9	8	2	3	5	6
6	2	3	7	1	5	9	4	8
5	8	9	3	4	6	1	7	2
9	4	1	2	5	7	8	6	3
2	7	6	8	3	9	5	1	4
8	3	5	1	6	4	2	9	7
3	5	8	6	7	1	4	2	9
1	9	7	4	2	8	6	3	5
4	6	2	5	9	3	7	8	1

423

8	7	2	6	9	1	3	5	4
5	9	4	3	8	7	6	1	2
1	3	6	2	5	4	7	9	8
6	5	3	7	1	2	4	8	9
4	8	7	5	3	9	2	6	1
9	2	1	4	6	8	5	7	3
3	6	8	1	4	5	9	2	7
2	1	5	9	7	3	8	4	6
7	4	9	8	2	6	1	3	5

424

2	6	9	5	7	1	3	4	8
5	8	3	2	6	4	7	9	1
1	4	7	3	8	9	6	2	5
8	3	6	9	1	2	4	5	7
4	7	1	8	5	6	2	3	9
9	2	5	4	3	7	8	1	6
6	1	4	7	9	3	5	8	2
7	5	2	1	4	8	9	6	3
3	9	8	6	2	5	1	7	4

425

4	2	8	1	6	7	3	5	9
9	7	1	3	2	5	8	4	6
6	3	5	8	9	4	7	2	1
3	9	7	5	8	6	2	1	4
8	1	2	4	3	9	6	7	5
5	6	4	2	7	1	9	3	8
7	5	6	9	1	2	4	8	3
2	4	3	6	5	8	1	9	7
1	8	9	7	4	3	5	6	2

426

3	6	4	7	2	8	5	1	9
7	2	9	5	3	1	4	8	6
8	1	5	4	6	9	3	2	7
1	9	3	8	4	2	7	6	5
5	4	2	6	9	7	8	3	1
6	7	8	1	5	3	9	4	2
4	5	7	3	1	6	2	9	8
2	3	6	9	8	5	1	7	4
9	8	1	2	7	4	6	5	3

427

4	1	2	5	7	3	6	9	8
6	5	3	2	9	8	1	4	7
9	7	8	4	1	6	2	5	3
7	6	5	8	3	4	9	1	2
3	9	4	1	6	2	7	8	5
2	8	1	7	5	9	3	6	4
1	3	7	6	8	5	4	2	9
8	2	9	3	4	1	5	7	6
5	4	6	9	2	7	8	3	1

428

8	4	2	3	9	6	5	1	7
7	1	3	8	5	4	9	2	6
9	6	5	2	7	1	8	4	3
2	5	4	1	6	3	7	9	8
3	7	8	9	4	2	1	6	5
1	9	6	5	8	7	2	3	4
6	2	9	7	3	5	4	8	1
4	8	7	6	1	9	3	5	2
5	3	1	4	2	8	6	7	9

429

7	6	3	8	1	2	9	4	5
9	2	1	4	7	5	6	3	8
8	5	4	6	3	9	7	1	2
5	1	8	7	2	3	4	6	9
3	9	6	5	8	4	1	2	7
2	4	7	1	9	6	8	5	3
4	7	2	3	6	8	5	9	1
1	3	5	9	4	7	2	8	6
6	8	9	2	5	1	3	7	4

430

2	6	1	4	3	7	9	5	8
7	8	5	2	6	9	1	4	3
3	9	4	1	5	8	7	2	6
6	5	8	9	7	4	2	3	1
4	2	9	8	1	3	5	6	7
1	3	7	5	2	6	4	8	9
5	1	6	3	9	2	8	7	4
9	4	3	7	8	5	6	1	2
8	7	2	6	4	1	3	9	5

431

6	3	1	2	5	4	7	8	9
9	7	8	3	1	6	2	4	5
2	4	5	9	7	8	6	3	1
8	1	7	5	6	9	4	2	3
3	2	9	1	4	7	5	6	8
5	6	4	8	3	2	9	1	7
7	5	3	4	2	1	8	9	6
1	8	2	6	9	5	3	7	4
4	9	6	7	8	3	1	5	2

432

1	6	3	7	2	9	4	5	8
5	2	4	3	6	8	1	7	9
7	8	9	5	4	1	6	2	3
8	4	7	2	1	3	5	9	6
3	9	1	4	5	6	7	8	2
2	5	6	9	8	7	3	1	4
9	7	8	1	3	4	2	6	5
4	1	2	6	9	5	8	3	7
6	3	5	8	7	2	9	4	1

433

5	3	9	6	8	1	4	7	2
1	6	2	7	4	9	3	5	8
8	4	7	5	2	3	1	6	9
7	2	8	9	5	4	6	1	3
6	5	3	1	7	2	8	9	4
4	9	1	8	3	6	5	2	7
2	1	6	3	9	8	7	4	5
9	8	5	4	6	7	2	3	1
3	7	4	2	1	5	9	8	6

434

7	9	2	4	3	6	1	8	5
5	3	1	9	8	2	6	7	4
6	8	4	1	7	5	2	3	9
2	7	8	3	1	4	9	5	6
9	1	6	5	2	7	8	4	3
4	5	3	6	9	8	7	2	1
1	2	9	7	5	3	4	6	8
3	4	7	8	6	1	5	9	2
8	6	5	2	4	9	3	1	7

435

3	5	4	6	2	8	9	1	7
6	9	2	7	1	5	3	4	8
1	8	7	4	3	9	6	2	5
8	1	9	5	6	4	7	3	2
2	7	6	1	9	3	5	8	4
4	3	5	2	8	7	1	9	6
7	4	8	9	5	1	2	6	3
5	2	1	3	4	6	8	7	9
9	6	3	8	7	2	4	5	1

436

5	8	4	3	1	9	7	2	6
3	1	9	7	2	6	5	4	8
6	7	2	4	5	8	9	3	1
8	4	1	2	9	7	6	5	3
7	2	6	5	4	3	8	1	9
9	5	3	6	8	1	2	7	4
4	9	8	1	7	5	3	6	2
1	6	7	8	3	2	4	9	5
2	3	5	9	6	4	1	8	7

437

6	2	5	7	1	9	3	8	4
8	4	1	6	2	3	9	5	7
3	7	9	8	4	5	2	6	1
5	9	4	3	6	1	8	7	2
7	3	2	4	5	8	6	1	9
1	8	6	2	9	7	4	3	5
4	6	3	5	7	2	1	9	8
9	5	8	1	3	4	7	2	6
2	1	7	9	8	6	5	4	3

438

8	2	4	9	3	5	7	1	6
3	6	5	4	1	7	9	8	2
9	7	1	6	2	8	5	3	4
6	5	3	2	7	9	8	4	1
7	9	8	1	4	3	6	2	5
1	4	2	5	8	6	3	7	9
2	8	9	3	6	4	1	5	7
4	3	6	7	5	1	2	9	8
5	1	7	8	9	2	4	6	3

439

8	5	4	3	2	6	1	9	7
7	2	1	9	8	5	6	3	4
9	3	6	7	4	1	5	8	2
5	1	7	2	6	9	3	4	8
3	4	2	5	7	8	9	6	1
6	9	8	1	3	4	2	7	5
1	6	3	8	5	7	4	2	9
2	7	9	4	1	3	8	5	6
4	8	5	6	9	2	7	1	3

440

7	5	3	9	6	4	1	8	2
4	6	1	2	5	8	7	9	3
2	9	8	3	1	7	6	4	5
9	3	5	1	8	2	4	6	7
8	2	4	6	7	3	9	5	1
6	1	7	5	4	9	2	3	8
3	4	9	7	2	5	8	1	6
1	8	2	4	3	6	5	7	9
5	7	6	8	9	1	3	2	4

441

5	2	4	7	9	3	8	1	6
7	6	9	2	1	8	3	4	5
8	3	1	6	4	5	2	9	7
1	9	2	4	8	6	5	7	3
3	4	5	1	7	2	6	8	9
6	8	7	3	5	9	1	2	4
2	1	3	9	6	4	7	5	8
4	5	6	8	2	7	9	3	1
9	7	8	5	3	1	4	6	2

442

6	3	9	7	1	8	5	2	4
8	5	4	2	3	9	7	1	6
7	1	2	4	5	6	8	9	3
1	7	5	8	6	4	9	3	2
4	9	8	3	7	2	1	6	5
3	2	6	1	9	5	4	7	8
9	6	1	5	8	3	2	4	7
2	8	7	6	4	1	3	5	9
5	4	3	9	2	7	6	8	1

443

3	5	4	8	6	7	9	1	2
9	8	7	1	2	3	4	5	6
6	2	1	5	4	9	3	7	8
1	9	3	4	8	6	5	2	7
8	4	5	7	9	2	1	6	3
7	6	2	3	1	5	8	9	4
2	3	6	9	5	8	7	4	1
5	1	8	6	7	4	2	3	9
4	7	9	2	3	1	6	8	5

444

7	1	2	8	9	4	3	6	5
8	3	6	5	1	7	2	4	9
4	9	5	6	2	3	7	8	1
2	5	4	7	3	9	6	1	8
3	6	9	1	5	8	4	7	2
1	8	7	4	6	2	5	9	3
9	2	1	3	4	6	8	5	7
5	4	8	2	7	1	9	3	6
6	7	3	9	8	5	1	2	4

445

4	7	5	1	9	8	3	6	2
3	8	9	6	4	2	7	5	1
1	2	6	7	5	3	8	4	9
9	3	2	5	7	6	1	8	4
5	6	1	2	8	4	9	3	7
7	4	8	9	3	1	6	2	5
2	1	4	3	6	9	5	7	8
6	9	7	8	2	5	4	1	3
8	5	3	4	1	7	2	9	6

446

4	2	9	5	6	1	8	7	3
7	5	8	4	2	3	9	1	6
6	1	3	7	8	9	5	4	2
9	4	5	6	3	8	7	2	1
3	7	1	9	5	2	4	6	8
8	6	2	1	4	7	3	9	5
1	8	4	2	7	5	6	3	9
5	9	7	3	1	6	2	8	4
2	3	6	8	9	4	1	5	7

447

6	8	3	1	2	7	4	5	9
1	4	2	5	6	9	8	7	3
7	9	5	4	3	8	6	2	1
8	7	6	9	5	4	1	3	2
3	5	4	2	1	6	7	9	8
9	2	1	7	8	3	5	4	6
4	3	9	6	7	1	2	8	5
2	6	7	8	9	5	3	1	4
5	1	8	3	4	2	9	6	7

448

1	2	4	5	3	6	9	8	7
3	5	9	8	7	1	2	6	4
8	7	6	4	2	9	1	3	5
7	4	1	2	9	3	6	5	8
9	8	5	1	6	4	7	2	3
6	3	2	7	5	8	4	9	1
4	9	3	6	8	7	5	1	2
2	1	8	9	4	5	3	7	6
5	6	7	3	1	2	8	4	9

449

4	7	1	5	8	9	6	2	3
3	5	9	7	2	6	1	4	8
2	8	6	4	3	1	9	7	5
6	4	3	9	7	8	5	1	2
9	2	8	3	1	5	7	6	4
5	1	7	2	6	4	8	3	9
8	3	2	1	5	7	4	9	6
1	6	4	8	9	3	2	5	7
7	9	5	6	4	2	3	8	1

450

2	9	5	7	8	6	1	4	3
6	7	3	1	4	9	2	5	8
1	8	4	2	3	5	9	6	7
4	1	9	8	6	2	3	7	5
7	5	8	9	1	3	6	2	4
3	6	2	4	5	7	8	9	1
9	3	1	5	2	4	7	8	6
5	2	6	3	7	8	4	1	9
8	4	7	6	9	1	5	3	2

451

8	2	3	1	4	6	7	5	9
1	6	7	8	9	5	2	4	3
9	4	5	7	3	2	6	8	1
2	8	4	6	1	3	5	9	7
6	7	1	9	5	4	3	2	8
5	3	9	2	8	7	1	6	4
4	1	2	3	6	8	9	7	5
7	9	8	5	2	1	4	3	6
3	5	6	4	7	9	8	1	2